Para

_____

De

_____

Data

_____

FORTE

LISA BEVERE

DEVOCIONAIS

para uma vida poderosa e apaixonada

Thomas Nelson
BRASIL

Rio de Janeiro, 2024

Título original: *Strong*
Copyright © 2020 por Lisa Bevere
Copyright da tradução © 2020 por Vida Melhor Editora Ltda.

Edição original por Thomas Nelson. Todos os direitos reservados.
Todos os direitos desta publicação reservados por Vida Melhor Editora Ltda.

PUBLISHER	*Samuel Coto*
EDITORES	*André Lodos e Bruna Gomes*
TRADUÇÃO	*Talita Nunes*
COPIDESQUE	*Carla Morais*
REVISÃO	*Eliana Moura*
CAPA	*Filigrana*
DIAGRAMAÇÃO	*Filigrana*

Os pontos de vista desta obra são de total responsabilidade da autora, não refletindo necessariamente a posição da Thomas Nelson Brasil, da HarperCollins Christian Publishing ou de sua equipe editorial.

As citações bíblicas são da *Nova Versão Internacional* (NVI), da Bíblia, Inc., a menos que seja especificada outra versão da Bíblia Sagrada.

Dados Internacionais de Catalogação na Publicação (CIP)

B467f Bevere, Lisa

1.ed.   Forte: devocionais para experimentar uma vida poderosa e apaixonada / Lisa Bever; tradução de Talita Nunes. – 1.ed. – Rio de Janeiro: Thomas Nelson Brasil, 2020.
        208 p.; 13,5 x 20,8 cm.

        Tradução de: Strong
        ISBN: 978-65-56890-11-1

        1. Autoajuda. 2. Cura emocional. 3. Cristianismo. 4. Devocional. I. Nunes, Talita. II. Título.
5-2020/58   CDD 158.1
                                                 CDU 159.92

Bibliotecária responsável: Aline Graziele Benitez CRB-1/3129

Thomas Nelson Brasil é uma marca licenciada à Vida Melhor Editora Ltda.
Todos os direitos reservados à Vida Melhor Editora Ltda.
Rua da Quitanda, 86, sala 601A - Centro
Rio de Janeiro, RJ - CEP 20091-005
Tel.: (21) 3175-1030
www.thomasnelson.com.br

SUMÁRIO

PARTE 1 — *Forte em Deus*

1. Tudo bem ser forte 2
2. Confiante em Cristo 4
3. Nunca só 6
4. Ouvida por Deus 8
5. Nosso verdadeiro desejo 10
6. Satisfeita 12
7. Acalmada pelo amor 14
8. Segura em Deus 16
9. Aquiete-se 18

PARTE 2 — *Forte em Espírito*

1. O poder da música 22
2. Confiante e capaz 24
3. Um coração saudável 26
4. Abraçando a natureza de mulher 28
5. Calma e poderosa 30
6. Apaixonada 32
7. Adoração é mais do que uma canção 34
8. Autoridade espiritual 36
9. Orar segundo o Espírito 38

PARTE 3 – *Forte na pureza*

1. Pura 42
2. Devotada 44
3. O pacote 46
4. Tecida em maravilhas 48
5. Laços de alma 50
6. Arrependimento curador 52
7. Casamento honrado 54
8. Protegida 56
9. Uma noiva 58

PARTE 4 – *Forte na verdade*

1. Sábia com as palavras 62
2. Não dividida 64
3. Muralhas 66
4. Dar uma volta 68
5. Deixando a terra do remorso 70
6. Uma mulher amada 72
7. Não uma cidadã de segunda categoria . . 74
8. Todo o amor de Deus 76
9. Andando na luz 78

PARTE 5 – *Forte nos relacionamentos*

1. Nunca rejeitada 82
2. Paz em conflito 84
3. Afetos e direção 86
4. Segura e protegida 88

5	Sábia na amizade	90
6	O Deus da justiça	92
7	À prova de fofocas	94
8	Vida em harmonia	96
9	Crescendo em uma comunidade piedosa	98

PARTE 6 — *Forte na batalha*

1	De sentinela e em guarda	102
2	Paz entre os sexos	104
3	A batalha da falta de perdão	106
4	Seu refúgio	108
5	Estamos em uma batalha	110
6	Escudos e flechas	112
7	A verdadeira guerra	114
8	Batalhando na luz	116
9	Determinada	118

PARTE 7 — *Forte na graça*

1	Seu passado não é seu futuro	122
2	Perdoada	124
3	Graciosa	126
4	Crescimento, não culpa	128
5	O jardim do coração	130
6	A caixa do julgamento	132
7	Assumir e deixar ir	134
8	Equipada para viver	136
9	Sem condenação	138

PARTE 8 – *Forte no domínio próprio*

1. Escute atentamente 142
2. Controle de apetite 144
3. Tudo bem ficar com raiva 146
4. Cuidado com as palavras 148
5. Arrependimento redentor 150
6. Enraizada na Palavra 152
7. Semeadura e colheita 154
8. A força do descanso 156
9. Embaixadora de Deus 158

PARTE 9 – *Forte na liberdade*

1. Liberta do pecado 162
2. Um novo coração 164
3. O poder da confissão 166
4. Livre do pecado 168
5. Quando dói demais 170
6. Firme na liberdade 172
7. Não escrava 174
8. Feita nova 176
9. Livre para ser dele 178

PARTE 10 – *Forte na santidade*

1. Não deste mundo 182
2. Obedecer 184
3. Feita santa 186
4. Refinada pelo fogo 188

5 Jejuar fisicamente 190
6 Oferecendo o coração 192
7 Tomando a cruz 194
8 A Palavra de Deus 196
9 Perseverança 198

Forte em Deus

1

TUDO BEM SER FORTE

Deus é forte e quer que vocês sejam fortes.
EFÉSIOS 6:10, A MENSAGEM

Ao começarmos esta jornada de fortalecimento, vamos primeiro estabelecer algo em nosso coração: ser forte não é errado.

Com frequência, as mulheres cristãs estão mais associadas à fraqueza do que à força. Às vezes, na religião, somos ensinadas a nos esconder em vez de nos erguer. É verdade que somos chamadas a ser mansas, mas não fracas. Mansidão é mais bem definida como força sob controle. Tanto Moisés quanto Jesus eram mansos, mas não fracos. Os mansos sabem que sua força vem de Deus. Ester era mansa, mas não era fraca. Os mansos também são humildes, porque entendem que sua força vem de um poder superior. Os mansos sabem como e quando lutar, mas eles não ficam procurando briga.

A força é uma espada de dois gumes que pode ser usada como arma de destruição ou meio de libertação, que dá liberdade aos cativos. Não é incomum que o primeiro cativo requerendo libertação sejamos nós mesmas.

Esta vida requer força. E, quanto mais vivemos, mais difícil fica a vida. Viver piedosamente em uma cultura ímpia exigirá muito mais força do que você ou eu conseguimos unir por nossa conta. Felizmente, não estamos por nossa conta. Vamos examinar os versículos de Efésios a seguir, que descrevem por que cada uma de nós deve abraçar o desafio e tornar-se forte. Após descrever como interagimos nos relacionamentos, Paulo começa Efésios 6:10-18 com: "Finalmente, fortaleçam-se no Senhor e no seu forte poder" (6:10).

Os relacionamentos demandam força. Mas, sempre que eu tento amar ou mesmo gostar de alguém com minhas próprias forças, estou fadada ao fracasso. Temos uma capacidade humana muito limitada para o tipo de força de que precisamos todos os dias. É por isso que aproveitamos a força e o poder de nosso Senhor. Uma outra versão simplesmente diz assim: "Deus é forte e quer que vocês sejam fortes" (A Mensagem).

Deus sabe que não somos fortes, então ele nos faz fortes. Davi aproveitou essa fonte de força quando era um pastor adorador. Nosso Deus é Todo-poderoso para nos fazer poderosas. Nosso Pai é onipotente para dar poder a nós, suas filhas. Deus tem um plano para a sua vida, e o Diabo tem uma cilada. A cilada dele consiste em tirá-la do plano de Deus. Devo alertá-la de que o Diabo não lutará de modo limpo. No momento em que se tornou filha de Deus, você foi marcada pelo Espírito Santo e foi notada pelo inimigo. Antes de seu renascimento, você era escrava do inimigo, agora é um alvo. Mas, uma vez que estejamos familiarizadas com nossa verdadeira fonte de força, é hora de vestirmos a armadura. "Vistam toda a armadura de Deus, para poderem ficar firmes contra as ciladas do Diabo" (Efésios 6:11).

Querido Pai Celeste, sou grata a ti por seres forte e por me quereres forte também. Eu vestirei tua armadura para permanecer firme em teu plano.

Eu sou forte
PORQUE DEUS É MINHA FONTE DE FORÇA.

2
CONFIANTE EM CRISTO

A justiça habitará no deserto, e a retidão viverá no campo fértil. O fruto da justiça será paz; o resultado da justiça será tranquilidade e confiança para sempre.
ISAÍAS 32:16,17

Quando você pensa na imagem de uma mulher confiante, o que imagina? Nas revistas, nas lojas e quase toda vez que olhamos para uma tela, vemos a ideia que o mundo tem de uma mulher confiante — virando cabeças com seu sorriso controlador garantido e seu estilo impecável. Não é por acaso que essa confiança costuma estar à venda na forma de um produto de beleza ou de um estilo de vida que nos levará de um "antes" pouco desejável para um "depois" fabuloso. A longo prazo, contudo, a busca por afirmação no sucesso ou na atratividade é vazia. De quantas curtidas em uma foto nós precisamos? Ou quantos comentários de estranhos serão necessários para finalmente dizermos: "Basta... Estou completa"? Garanto que um milhão por dia jamais seria suficiente para nos preencher.

Se confiarmos na popularidade ou na beleza, procuraremos constantemente que outras pessoas afirmem nosso valor e nos digam que somos desejáveis. Nossa autoestima estará repetidamente em perigo e ameaçada por outras mulheres, e nossa confiança será passageira. Mas existe outro caminho. Nós temos um Príncipe que está sempre disposto a tornar belas as mulheres que vão até ele.

A confiança que ele nos dá chega ao mais profundo do que sequer sabíamos como deixar alguém tocar. É mais do que apenas uma vitrine, um filtro ou um novo acessório. É o brilho profundo e aquecedor que vem de saber que somos amadas e conhecidas profundamente. Quando uma mulher é amada assim... dá para ver. Cristo Jesus nos abençoou com o favor dele. Está na hora de permitirmos que seu amor seja mais do que suficiente e que deixemos de procurar realização em outro lugar.

Está na hora de darmos uma olhada no "antes e depois" de nossa alma. Está na hora de verdadeiramente apreciarmos o que Cristo fez e de construirmos nossa confiança em cima disso. O amor que ele provê nunca desvanece. Ele anseia nutrir ternamente cada uma de nós, a fim de que possamos florescer em seu amor.

Senhor, obrigada por me renovares, por me limpares e por me refazeres diariamente na mulher que tu vislumbras. Eu tenho confiança na tua graça salvadora.

Eu sou forte
PORQUE JESUS TEM-ME DADO UMA VERDADEIRA FONTE DE CONFIANÇA.

3
NUNCA SÓ

Não sobreveio a vocês tentação que não fosse comum aos homens.
E Deus é fiel; ele não permitirá que vocês sejam tentados além
do que podem suportar. Mas, quando forem tentados, ele mesmo
lhes providenciará um escape, para que o possam suportar.

1CORÍNTIOS 10:13

Embora eu talvez jamais veja seu rosto ou tenha a honra de saber o seu nome, sei que você e eu não somos tão diferentes e que, no curso da vida, nós enfrentaremos muitos desafios iguais. Coríntios promete-nos que qualquer problema que enfrentamos não é exclusivamente nosso. Não estamos sozinhas em nossas provações ou vitórias. Mas Satanás, o inimigo de nossa alma, adora isolar e acusar cada uma de nós como se estivéssemos. Ele sussurra mentiras: "Você é a única que luta com isso. Ninguém mais é tão ruim quanto você!" Sei que você já ouviu alguma forma disso, porque eu também ouvi essa mentira.

Deus não tem favoritismo quando se trata de suas promessas e de sua Palavra. Ele recebe todo aquele que vem até ele com um coração humilde e obediente. E isso não é válido para os arrogantes e para aqueles cheios de justiça própria, que imaginam saber de tudo. Ele nos ouve melhor quando estamos cansadas e chegamos ao fim de tentar fazer por nossa conta. Deus levanta os cansados e quebrantados e convida-os: "Se algum de vocês tem falta de sabedoria, peça-a a Deus, que a todos dá livremente, de boa vontade; e lhe será concedida" (Tiago 1:5).

Há um número imenso de mulheres preciosas que se sentem sozinhas e isoladas. Está na hora de percebermos que, assim como estamos unidas em nossas lutas, podemos estar unidas em nossa força. Talvez você tenha sentido-se isolada e acusada. Isso é mentira. Você não está sozinha. O Senhor é seu redentor, e não seu acusador.

Essa é uma das muitas razões pelas quais a comunidade é tão importante. Quando nos conectamos com outras pessoas que já passaram pela luta em que atualmente estamos, somos encorajadas a ter fé. Nós saímos com fé e ousamos crer que, assim como foi fiel para com elas, Deus será fiel para conosco. Permita-me assegurá-la:

Deus não está zangado com você.

Ele não é seu acusador.

Ele está mais do que disposto a ajudar.

E você não está sozinha.

Pai, eu te louvo por não estar sozinha nem ser acusada por ti. Obrigada por me receberes em tua presença curativa. À medida que eu for curada, compartilharei minha jornada, a fim de que outros sejam encorajados também.

Eu sou forte
PORQUE NÃO ESTOU SOZINHA. MEU SENHOR É MEU REDENTOR, NÃO MEU ACUSADOR.

4
OUVIDA POR DEUS

Porém Deus, de fato, me ouviu e respondeu à minha oração.
SALMOS 66:19, NTLH

Como lhe dirão muitos pais de crianças pequenas, às vezes nossos lindos e preciosos anjos batem, xingam ou dão chilique para conseguir o que querem (não muito diferente de nós, de tempos em tempos). No calor e na intensidade de uma batalha com um garoto de dois anos, parece mais fácil para todos os envolvidos deixar que ele faça o que quer. Deixá-lo vencer essa batalha na esperança de mais tarde você vencer a guerra. Bem, talvez vença — mas somente com maior dificuldade e muito mais luta do que o confronto inicialmente apresentado. Recompensar o mau comportamento sempre paga com um ataque a você no final. Em última análise, você não está fazendo um favor à criança, mas um desserviço. Deus, nosso Pai Celeste, é o mais sábio de todos os pais. Ele sabe quando aquela *coisa* sobre a qual estamos fazendo birra colocará em risco algo de maior valor... nosso caráter.

Confesso que houve momentos em que fui culpada de fazer birra para conseguir o que queria. Eu choraminguei e reclamei: "Deus, como pode que elas têm isso e eu não?" Outras vezes foi interpessoal: "Deus, tu sabes que eu estou certa e eles estão errados! Dize ou mostra isso a eles!" Isso era especialmente conveniente em discordâncias com meu marido ou outros cristãos. Eu imaginava Deus interrompendo o momento de devoção daquelas pessoas para lhes dizer como eu estava certa. Obviamente, essas orações nunca foram respondidas. Sou muito grata a Deus por seu interesse em meu bem, e não em me dar o que eu queria.

Existem muitas razões para que uma oração não seja respondida, mas jamais assuma que ele não está respondendo porque não está ouvindo. Ele sempre busca ativamente nosso crescimento em direção a um bem maior — mesmo além da nossa compreensão no momento. Quer oremos com a melhor das intenções, quer oremos com uma visão limitada, ele inclina seu ouvido em direção a nós, sabendo exatamente o que precisamos. Ele tem uma perspectiva eterna em mente. À medida que eu amadureço e me atrevo a lançar-me a mim mesma e aos outros nas mãos de Deus, a justiça dele prevalece sem as minhas ideias. Sempre podemos contar com ele para ouvir e responder de maneiras que revelam sua soberania suprema em nossa vida.

Senhor, sou grata porque, quando falo, tu ouves graciosamente e respondes em tua vontade e sabedoria. Meu futuro está seguro em tuas mãos.

Eu sou forte
PORQUE ESTOU NAS MÃOS DE ALGUÉM QUE SABE O QUE O FUTURO ME RESERVA.

5

NOSSO VERDADEIRO DESEJO

Levanto os meus olhos para os montes e pergunto: De onde me vem o socorro? O meu socorro vem do Senhor, *que fez os céus e a terra.*
SALMOS 121:1,2

Todos estão em busca de satisfação. Alguns podem recorrer ao dinheiro, ao poder ou ao sucesso mundano para encontrá-la. Para outros, ela está na busca por amor, sexo ou aprovação. A satisfação pode até ser buscada em coisas positivas, como ajudar as pessoas ou advogar por justiça. No entanto, mais cedo ou mais tarde, se buscamos satisfação fora de Deus, nós acabamos desapontadas. É sempre frustrante procurar a coisa certa no lugar errado.

Precisamos erguer os olhos para os céus, porque nossa ajuda vem de nosso Criador. É somente nele que encontraremos nossa fonte e nossa satisfação. Eis a triste verdade: quando insistimos em correr atrás de outras coisas, Deus deixa que façamos do nosso jeito. Assim como não impediu Adão e Eva de estenderem a mão e tomarem o fruto no Jardim, ele não nos impede de agarrarmos algo para conseguir as coisas do nosso jeito. Ele quer ser nosso verdadeiro desejo, mas nos permite ter o que queremos, mesmo que seja prejudicial a nós. Paulo escreveu sobre a humanidade: "Além do mais, visto que desprezaram o conhecimento de Deus, ele os entregou a uma disposição mental reprovável, para praticarem o que não deviam" (Romanos 1:28).

Quando batemos o pé e dizemos: "Não! Eu quero o que eu quero!", Deus dá um passo atrás e nos permite ter o que nossa vontade tola demanda. Somente mais tarde descobrimos que isso está aquém de nossas esperanças.

Deus não quer que sejamos punidas tanto quanto não quer que sejamos mantidas em cativeiro. Ouça o convite aberto:

"Venham, vamos refletir juntos", diz o Senhor. "Embora os seus pecados sejam vermelhos como escarlate, eles se tornarão brancos como a neve; embora sejam rubros como púrpura, como a lã se tornarão. Se vocês estiverem dispostos a obedecer, comerão os melhores frutos desta terra." (Isaías 1:18,19)

Voltemos a ele com o coração voluntário e obediente, e façamos dele nossa fonte de força e ajuda.

Pai Celeste, perdoa-me por me voltar para coisas ímpias quando tu és minha verdadeira fonte de vida e ajuda. Lava-me e ajuda--me a desenvolver um espírito voluntário e obediente.

Eu sou forte
PORQUE O CRIADOR DOS CÉUS E DA TERRA ME FAZ FORTE!

6

SATISFEITA

A minha alma ficará satisfeita como quando tem rico banquete; com lábios jubilosos a minha boca te louvará. Quando me deito lembro-me de ti; penso em ti durante as vigílias da noite. Porque és a minha ajuda, canto de alegria à sombra das tuas asas. A minha alma apega-se a ti; a tua mão direita me sustém.

SALMOS 63:5-8

Pense naquela vez em que participou de um banquete no qual havia uma variedade de alimentos saudáveis e deliciosos, mas você não exagerou. Você desfrutou apenas o suficiente, e não em demasia. Naquela noite, enquanto adormecia, houve mais satisfação do que desconforto. É profundamente gratificante estar bem nutrida e bem descansada.

Nossa alma pode experimentar o mesmo tipo de satisfação que nosso corpo. Assim como Davi, podemos escolher deitar na cama e nos lembrar da bondade de Deus. Ou podemos deitar na cama e nos lembrar de nossas lutas e nossos fracassos. Somos encorajadas a colocar a mente para descansar pensando nas maravilhas de nosso Pai. Imagine um pássaro majestoso abrigando e protegendo os filhotes com suas asas. (De agora em diante, é assim que verei meu Consolador!) Então, enquanto dormimos, estamos em repouso. Nessa atmosfera de gratidão e deslumbre, nosso coração canta sobre a ajuda e a proteção do Senhor em nossa vida. Todos os dias podem ser uma celebração dele.

O sono é tão misterioso! É um momento em que estamos, de fato, o mais vulneráveis possível. Perdemos a consciência e escapulimos por algumas horas. Muitas de nós dormimos mais profundamente quando crianças do que quando adultas. Contentes e despreocupadas, as crianças trocam as atividades do dia pela rendição da noite. Quando adultas, temos mais dificuldade em separar as atividades do dia do descanso à noite. Nossa tendência é de levar conosco para a cama as coisas erradas. Quando o fazemos, lutamos com preocupações e medos até o raiar do dia, e acordamos mais cansadas do que quando nos deitamos.

Eu descobri que nunca durmo bem quando deixo minhas preocupações correrem soltas antes de me deitar. A noite é o momento de fechar os olhos para o dia e abrir o coração para o Senhor. Salmos 127:2 promete: "O Senhor concede o sono àqueles a quem ele ama." Observe que não diz que ele dá sono aos perfeitos ou àqueles que tiveram um dia perfeito. Ele dá sono aos filhos que ama. Você é essa filha. Quero que imagine a bondade e a proteção do Senhor aconchegando você hoje à noite. Se o fizer, aposto que acordará pela manhã com uma canção de adoração na cabeça.

Senhor, a cada noite eu deixarei de lado meu dia imperfeito e pensarei em teu amor perfeito. Tu me amas porque és amor. Obrigada por me dares sono.

Eu sou forte
QUANDO MEDITO NA BONDADE DE DEUS E MINHA ALMA ENCONTRA DESCANSO.

7

ACALMADA PELO AMOR

*O Senhor, o seu Deus, está em seu meio, poderoso para
salvar. Ele se regozijará em você; com o seu amor a renovará,
ele se regozijará em você com brados de alegria.*

SOFONIAS 3:17

Muitas de nós estão em um pesadelo sexual. Outras estão em pesadelos relacionais. Algumas de nós estão em pesadelos financeiros. Aprendi que, muitas vezes, a melhor maneira de combater um pesadelo é com um sonho.

Por exemplo, quando meus filhos acordavam à noite assustados, incomodados ou agitados demais, eu os trazia para perto a fim de acalmá-los. Para isso, eu os embalava, ou deitava ao lado deles na cama, ou, se fosse tarde e meu marido estivesse fora, eu os trazia para minha cama. Por quê? Eu queria que eles soubessem que eu estava perto. Era ali, com eles em meus braços, que eu ouvia seus temores enquanto lhes acariciava os cabelos. Eu sussurrava afirmando a eles o amor de Deus e o meu, e lhes recordava a fiel proteção do Senhor. Eu cantava músicas de ninar até a respiração deles me dizer que já haviam voltado a dormir.

Esses aspectos da terna resposta de uma mãe para com seus filhos assustados são retirados do coração de Deus. Eles são apenas um pequeno reflexo de seu desejo de nos confortar. Quando nos machucamos, quando falhamos, quando estamos assustadas, Deus quer que nos aproximemos e jamais nos afastemos. Como filhas, somos convidadas a nos achegar em seus braços de segurança e amor. Ali, ele nos dará visões de beleza, capazes de trazer-nos de volta à tranquilidade e ao descanso.

Amo a imagem de um pai embalando ternamente a filha para que volte a dormir, de modo que ela possa descansar e se curar. Creio de todo o coração que seu Deus Pai deseja fazer o seguinte por você:

- trazê-la para perto;
- lavar todos os seus vestígios de culpa e vergonha;
- colocar de lado seus medos, tratando deles à luz da verdade;
- dar-lhe uma esperança e um futuro;
- embalá-la até que sua tempestade se acalme;
- levá-la de volta ao descanso;
- restaurar o sonho em seu coração.

Deus não está distante ou fora de acesso. Ele está pronto para vir em nosso auxílio e, com sua grande força, nos salvar. Ele não fica irritado quando choramos de medo ou nos sentimos desamparadas. Ele se deleita em acalmar seus filhos, assim como uma mãe considera uma alegria confortar os dela. Mas a capacidade que uma mãe tem de consolar é limitada, enquanto a capacidade de Deus de consolar é tão ilimitada quanto o amor dele. A profundidade do caráter de Deus nos acalma, enquanto ele canta para nós. Convide-o a se aproximar e acalmar as tempestades que você não consegue.

Pai Celeste, eu me aproximo de ti, crendo na promessa de Sofonias 3:17 de que tu estás comigo e que me acalmará com o teu amor. Esse sonho é mais poderoso do que qualquer pesadelo que eu enfrente agora. Eu me rendo a descansar em ti.

PORQUE O PODEROSO ESTÁ COMIGO, CANTANDO E ACALMANDO MINHA ALMA COM SEU AMOR.

8

SEGURA EM DEUS

Acima de tudo, guarde o seu coração, pois dele depende toda a sua vida.
PROVÉRBIOS 4:23

Qual é a coisa mais valiosa de sua casa? O que aconteceria se ela fosse roubada ou perdida? Talvez você pudesse substituir o item usando algum dinheiro poupado ou de seguro — o que é um aborrecimento, com certeza, mas não um desastre total. Agora, qual é o item mais emocionalmente inestimável de sua casa? Talvez, como eu, seja um álbum de fotos ou outro objeto que conte a história de um tempo passado. Se isso fosse tirado de sua casa, seria quase impossível substituí-lo. Você teria de aceitar a perda. Você ficaria triste, mas a vida seguiria. A verdade é que, se um ladrão invadisse sua casa e roubasse tudo de valor, ele não teria levado a coisa mais valiosa, porque não poderia roubar o tesouro mais precioso: o seu coração.

De fato, a única maneira de roubar um coração é se você o tiver fixado a alguém ou a outra coisa que possa roubá-lo. Aí, então, sua perda pode ser realmente grande. Essa é a razão pela qual Deus nos diz para amá-lo com o nosso coração todo — porque somente nele nosso coração é mantido em segurança. O seu coração, ou suas "afeições", como diz uma versão da Bíblia, tem o poder de "influenciar tudo o mais em sua vida" (Provérbios 4:23, tradução livre*).

O versículo que nos diz para guardar o coração também o descreve como uma "fonte" (ARA). Fonte é uma proveniência de água limpa, fresca e segura, que nutre a vida de plantas e animais que a cercam. Isso certamente influencia tudo ao seu

---
* Tradução livre da versão The Living Bible. [N. do T.]

redor. A civilização tende a surgir em torno de fontes de água. Em lugares áridos, um manancial é literalmente a diferença entre a vida e a morte. Se ele estiver contaminado de alguma forma, ou se for cortado de sua nascente nas profundezas da terra, tudo na área será afetado. As coisas murcham e morrem. Dessa forma, uma fonte merece ser guardada e cuidada, protegendo-a da poluição e mantendo sua conexão com a nascente.

Protegemos nosso coração como se ele nos provesse fontes de água de vida. Nós o protegemos de ser envenenado pela poluição quando o guardamos da amargura e da ofensa. E o protegemos da seca permanecendo conectadas à verdadeira fonte, por meio da oração e do louvor. Nós o protegemos de afetos doentios ao não fixá-lo a coisas incertas deste mundo, que podem roubá-lo. Quando você diligentemente guarda seu coração, amando "o Senhor, o seu Deus, de todo o seu coração, de toda a sua alma e de todo o seu entendimento", como Jesus ordenou, ele a manterá segura e florescendo (Mateus 22:37).

Deus, mostra-me como dar meu coração todo a ti e protegê-lo bem. Eu sei que o mais seguro é aos teus cuidados.

Eu sou forte
PORQUE GUARDO A FONTE DO MEU CORAÇÃO.

9

AQUIETE-SE

Aquietem-se e saibam que eu sou Deus!
SALMOS 46:10, NVT

Hoje à noite, quando você for dormir, quero que faça um experimento. Estabeleça um tempo na sua rotina normal de dormir para deitar-se em silêncio e abrir o coração a Deus. Aceite o convite para simplesmente reverenciar a Deus, para se aquietar e saber. Saber o quê? Saber dele como Deus, permitindo-lhe revelar-se no meio em que você vive — em suas alegrias, bem como em suas dores, seus conflitos ou suas crises. Ele quer sussurrar palavras de amor a você antes que o sono a domine.

Na calma do silêncio, não diga nada... apenas ouça. Se você estiver no meio de um conflito, não justifique sua posição. Aquiete-se e permita que Deus revele a si mesmo no silêncio. Você obterá a visão e a perspectiva dele ao depor todos os argumentos.

Oração e meditação são muito mais sobre o que ouvimos do que sobre o que dizemos. Quando pensamos em oração, frequentemente pensamos como algo que produzimos — palavras que dizemos, o derramar do coração, nossas petições apresentadas diante do Senhor. Tudo isso é bom. Mas não é tudo. Sim, há um tempo de pedir a ele o que nosso coração deseja. Há um tempo para implorar por justiça e rogar a Deus. Mas rios de nossas próprias palavras não nos lavarão. Eles meramente expressam nosso ponto de vista. Minha torrente selvagem de raciocínio é por demais enlameada e perturbada para limpar; ela apenas agita as coisas e deposita detritos adicionais. Eu preciso extrair minha percepção das profundas águas que têm o poder de refrescar e remover minha culpa e vergonha.

Pause. *Selá*. Reserve um tempo para ouvir o que seu Deus está dizendo. Se preocupações e pensamentos tumultuosos povoam sua mente no final do dia, você não precisa deixá-los minar sua força e perturbar seu descanso. Não se deite para assistir a intermináveis repetições das tensões e falhas do dia. Em vez disso, reivindique um momento de silêncio para estar com aquele que pode trazer a verdadeira paz. Somente ele pode verdadeiramente libertá-la dos pensamentos que a desgastam e reabastecer-lhe a alma enquanto você dorme. Quando acordar, você descobrirá que "graças ao grande amor do Senhor é que não somos consumidos, pois as suas misericórdias são inesgotáveis. Renovam-se cada manhã; grande é a sua fidelidade!" (Lamentações 3:22,23).

Pai, enquanto espero o sono, aquieta minha alma e fala ao meu coração. Somente tu podes parar meus pensamentos acelerados. Dou-te os momentos finais de meu dia, em agradecimento pelas novas misericórdias que me reservas pela manhã.

Eu sou forte
QUANDO ESTOU AQUIETADA E CALMA DIANTE DE MEU DEUS.

Forte em Espírito

1
O PODER DA MÚSICA

Cantem ao S<small>ENHOR</small> um novo cântico, pois ele fez coisas maravilhosas;
a sua mão direita e o seu braço santo lhe deram a vitória!

SALMOS 98:1

Existe uma conexão linda e divina entre amor e música. Eles se expandem e revelam um ao outro. A música tem o poder de nos transportar. Palavras imersas em música têm o poder de tocar nosso coração em lugares que nada mais consegue alcançar. Todas nós nos sentimos enlevadas em um êxtase de grande alegria ou arrastadas para as profundezas da tristeza pelo poder de uma canção.

A música é uma chave essencial para o despertar de nosso amor por Deus, porque ela tem o poder de nos conduzir para além de nossa realidade atual, para a própria presença de Deus. Eleva nossas emoções mais verdadeiras e profundas para mais perto da superfície e nos transporta a uma dimensão mais próxima do coração de Deus. Ela consegue falar por nós quando palavras são difíceis de expressar e nossos sentimentos são esmagadores.

Você sabia que existe uma unção na música? Desse modo, você deve escolhê-la sabiamente. No Antigo Testamento, a unção estava mais frequentemente associada ao derramamento de óleo sobre um rei, sacerdote ou profeta. Era uma representação tangível do Espírito de Deus. No Novo Testamento, a unção representava a habitação e o poder do Espírito Santo para revelar Cristo. Assim, uma música piedosa e ungida é habilitada pelo Espírito para atrair-nos à presença dele. Houve momentos de adoração em que fui absolutamente vencida por essa presença. Embora não o visse com meus olhos, era como se ele abarcasse todo o meu ser. Naquela presença, eu me sentia completamente segura e amada.

Como a música tem o poder de levar-nos emocionalmente a alguns lugares, é importante escolher nossos destinos com sabedoria. Se você quer andar em pureza, deve proteger-se contra toda influência indesejada. A música vai ignorar sua primeira linha de defesa e fazer morada em sua mente... ainda que você não queira. Você pode nunca ter pessoalmente cantado a letra, mas, de qualquer forma, ela está lá, repetindo a mensagem vez após vez em sua cabeça. Todos nós já ouvimos gente reclamar: "Essa música não sai da minha cabeça!"

Sendo assim, substitua aquelas músicas impuras cantando outra, uma canção celestial. Nem todas as canções da terra são ruins, mas nem todas a aproximarão de Deus. As canções do céu sim. Enquanto as cantamos, proclamamos nosso amor e desejo por Deus. Essa é uma forma de adoração, e a adoração sempre concede ao adorador uma revelação maior do objeto de seu desejo. Você pode usar o poder da música para deliciar-se na presença de Deus; isso só pode atraí-la para mais perto dele.

Senhor, obrigada pelo presente da música. Fica junto de mim enquanto elevo meu coração cantando e me mostra como usar o poder da música para fortalecer minha alma. Que toda canção em meu coração glorifique a ti!

Eu sou forte
QUANDO ERGO MINHA VOZ PARA ENTOAR UMA CANÇÃO CELESTIAL.

2

CONFIANTE E CAPAZ

Tal é a confiança que temos diante de Deus, por meio de Cristo. Não que possamos reivindicar qualquer coisa com base em nossos próprios méritos, mas a nossa capacidade vem de Deus.

2CORÍNTIOS 3:4,5

Não sei se existe uma área sequer em minha vida na qual eu me sinta completamente confiante e capaz. Por minha conta, estou certa de que sou incapaz. A boa notícia é que não precisa ser assim. Deus é quem nos torna capazes. Ninguém pode levar uma vida de fé sem a condução do Espírito Santo. O rei Davi orou: "Cria em mim um coração puro, ó Deus, e renova dentro de mim um espírito estável. Não me expulses da tua presença, nem tires de mim o teu Santo Espírito" (Salmos 51:10,11).

Davi sabia quem era sua fonte para ter um coração limpo, e ele entendia o envolvimento do Espírito Santo nesse processo. Em João 20, Jesus concedeu o Espírito Santo a seus discípulos. Eles precisavam do Espírito Santo para conseguir perdoar. Lemos em 2Coríntios 3:6: "É ele quem nos torna capazes de servir à nova aliança, que tem como base não a lei escrita, mas o Espírito de Deus. A lei escrita mata, mas o Espírito de Deus dá a vida" (NTLH). Por que não convidar o Espírito Santo a soprar sobre o texto das Escrituras com o qual você se depara, para que produza vida e transformação?

O Espírito Santo é o Consolador e o Conselheiro prometido, que nos ensinará e nos lembrará de tudo o que Jesus disse. Esse presente precioso significa que temos um Tutor ao estudarmos a Palavra e um Guia ao buscarmos o coração de Deus. O Espírito abre nossos olhos para que possamos ver, nossos ouvidos para que possamos ouvir, e nosso coração para que possamos crer.

Pai Celeste, sou grata a ti por ser eu capaz e confiante em ti. Espírito Santo, conduz-me e cria um coração puro e um espírito reto e renovado dentro de mim. Capacita-me a viver de tal modo que minha vida glorifique o Pai.

Eu sou forte
PORQUE CRISTO ME FAZ CONFIANTE E CAPAZ.

3

UM CORAÇÃO SAUDÁVEL

O coração bem disposto é remédio eficiente, mas o espírito oprimido resseca os ossos.
PROVÉRBIOS 17:22

A Bíblia nos dá uma percepção fantástica da fonte de nossa saúde. Uma certa umidade é encontrada na medula ou no centro dos ossos. É onde o sistema imunológico e as células sanguíneas são fortalecidas. Nossa vida está no sangue, e nosso sangue é fortalecido pela medula em nossos ossos. Se os ossos secarem, a própria fonte de vida ficará comprometida. Isso é confirmado novamente em Provérbios, no trecho de 14:29,30: "O homem paciente dá prova de grande entendimento, mas o precipitado revela insensatez. O coração em paz dá vida ao corpo, mas a inveja apodrece os ossos."

A Bíblia contrasta paciência com um temperamento explosivo, e paz com inveja. Paciência dá entendimento, enquanto um temperamento explosivo é evidência de tolice. Um coração sereno dá vida ao corpo, enquanto inveja e desgosto corrompem ou apodrecem até os ossos. Não é impressionante que algumas formas de câncer sejam tratadas com um transplante de medula óssea? A saúde de nossa medula óssea é tão crucial! Os ossos são o suporte estrutural de nosso corpo. Eles são a estrutura pela qual ficamos em pé e sem a qual caímos.

A Bíblia confirma que há uma relação real e sempre presente entre o coração espiritual e a saúde. Não estou sugerindo que aqueles que estão doentes têm um problema espiritual subjacente. Nós vivemos em um mundo caído, crivado pela maldição de moléstias e enfermidades. O que estou dizendo é que amargura, falta de perdão, raiva não resolvida e outros problemas do coração afetam diretamente o sistema imunológico. Em seu livro *Make Anger Your Ally* [Faça da raiva sua aliada], Neil Clark Warren relatou que ressentimento é o sentimento mais frequentemente relacionado a doenças punitivas, e frustração é o segundo. O autor lista uma amostragem dessas doenças comuns, provocadas por raiva não resolvida: dores de cabeça, problemas estomacais, resfriados, colite e hipertensão.

Outros estudos incluíram mazelas abrangendo tipos de artrite, várias doenças respiratórias, distúrbios na pele, problemas no pescoço e nas costas e até câncer. A Bíblia há séculos declara o que o homem, só agora, está descobrindo ser verdade. Provérbios 3:5-8 é uma riqueza de sabedoria a respeito de como devemos viver:

> Confie no Senhor de todo o seu coração e não se apoie em seu próprio entendimento; reconheça o Senhor em todos os seus caminhos, e ele endireitará as suas veredas. Não seja sábio aos seus próprios olhos; tema o Senhor e evite o mal. Isso lhe dará saúde ao corpo e vigor aos ossos.

Temos uma promessa aqui: se vivermos de acordo com o plano de saúde divino, Deus diz que trará saúde a nosso corpo e vigor a nossos ossos.

Senhor, tu conectaste meu coração e minha saúde de propósito. Por favor, ajuda-me a viver com um espírito saudável, a fim de poder evitar consequências físicas desnecessárias. Ajuda-me a manter tanto o corpo quanto a alma revigorados pela tua sabedoria.

Eu sou forte
QUANDO MANTENHO UM CORAÇÃO ALEGRE E SAUDÁVEL.

4
ABRAÇANDO A NATUREZA DE MULHER

Em vez disso, falaremos a verdade em amor, tornando-nos, em todos os aspectos, cada vez mais parecidos com Cristo, que é a cabeça.
EFÉSIOS 4:15, NVT

Como mulheres, nossa própria natureza e nosso aspecto físico são criados tendo-se cuidado e ternura em mente. Não somos construídas com arestas duras, mas com curvas suaves. Somos criadas com uma capacidade maior de ternura e compaixão do que os homens. Sentimos amor e dor mais profundamente em nosso ser. Somos mais empáticas que os homens e podemos ser levadas às lágrimas pela dor, pelas lutas e por perdas de completos estranhos. Quando não nos é permitido expressar essas emoções de maneira válida, corremos o risco de explodir ou implodir.

O que acontece quando explodimos? Duas de minhas passagens menos favoritas nos dizem como isso se desenrola no contexto de um casamento. Isso foi citado com frequência para mim em meus dias de recém-casada: "Melhor é viver num canto sob o telhado do que repartir a casa com uma mulher briguenta" (Provérbios 25:24). Ou a outra versão, ainda menos atraente: "Melhor é viver no deserto do que com uma mulher briguenta e amargurada" (Provérbios 21:19).

Ai! A vida num canto sob o telhado significaria estar exposto aos extremos de todos os fenômenos atmosféricos. Não haveria a proteção oferecida pelo teto contra chuva, neve, vento ou sol forte. Salomão nos estava dizendo que é melhor viver nessas condições do que se abrigar em uma casa com uma mulher briguenta. Eu costumava argumentar com meu marido, John, que naquela época se usava o telhado como um tipo de alternativa à varanda, mas achei difícil explicar a reiteração da ênfase nas Escrituras. Melhor viver no deserto ou no ermo, com cobras e escorpiões, do que com uma mulher irritada, mal-humorada e dada a discussões. O antagonismo fica exaustivo... não apenas para os outros, mas também para nós mesmas.

As mulheres são criadas para serem saudáveis e apaixonadas, amorosas e compassivas. Quando vamos contra nosso projeto ou propósito original de criação, nós, na verdade, lutamos fisicamente contra nosso corpo. Violamos o papel de nossa existência de dar vida, fortalecer e apoiar. As mulheres podem cumprir esse papel, sejam elas casadas ou solteiras.

Quando formos tentadas a reprimir nossos pensamentos e nossas emoções a ponto de explodir, lembremo-nos de que isso não é bom para ninguém. Não nos salva de conflitos; só resulta em um mau humor interno que fere a nós e a todos ao nosso redor. Falemos a verdade em amor, de uma maneira que possamos ser ouvidas, e vivamos em harmonia com a natureza saudável, apaixonada e amorosa que nos foi dada por Deus.

Senhor, dá-me uma visão acurada da minha natureza como mulher. Ensina-me a ser gentil, porém forte, servindo-te e usando a voz que me deste para falar a verdade em amor.

Eu sou forte
QUANDO ABRAÇO E CELEBRO MINHA NATUREZA, FALANDO A VERDADE EM AMOR.

5

CALMA E PODEROSA

A resposta calma desvia a fúria, mas a palavra ríspida desperta a ira.
PROVÉRBIOS 15:1

Geralmente consigo lembrar-me do ponto de virada em uma conversa, quando ela passou de boa para ruim ou de ruim para boa. Em certos momentos, eu podia ouvir o Espírito Santo me avisar: "Fique calma, abaixe a voz, responda de modo gentil. Não diga o que você quer dizer, mas ouça a minha voz mansa e suave e, em vez disso, fale as minhas palavras." Às vezes, sou obediente e ouço... Outras vezes, eu simplesmente tento passar, de modo sorrateiro, mais um comentário antes de obedecer... e descobrir quão caro custou minha tolice.

Eu encontrei o segredo para ser ouvida. É realmente bem simples: se quiser ser ouvida, fale da maneira como gostaria de ouvir. Meus filhos, meu marido, meus funcionários, meu cachorro... todo mundo, na verdade, ouve mais quando eu falo as coisas da maneira como quero ouvi-los. Sei que prefiro quando falam com um tom gentil e respeitoso. Eu ouço muito melhor quando não estão gritando comigo. Não é o volume ou a repetição de palavras que ganha a atenção, o respeito e o compromisso dos outros. É a importância do que falamos e o tom no qual isso é transmitido. Ninguém leva uma pessoa a sério se ela está tendo um chilique. Ah, ela pode conseguir o que quer naquela hora, mas isso lhe custará mais tarde. Nós damos piti e levantamos a voz por muitas razões. Eis algumas:

1. Temos medo de que não estejamos sendo ouvidas.
2. No passado, gritar já produziu resultados (conseguimos a coisa do nosso jeito).

3. Queremos intimidar ou controlar os outros.
4. Foi o que vivemos quando criança.
5. Ainda estamos com raiva de uma questão não resolvida.
6. É um mau hábito.

A maioria dessas razões tem raízes no medo. Deus não nos deu um espírito de medo, mas de poder, amor e equilíbrio (2Timóteo 1:7). Nós vamos gritar e dar chilique quando nos sentirmos impotentes. Procuraremos intimidar e controlar os outros quando formos interesseiras. Nós regrediremos a nosso passado quando o amor aperfeiçoado ainda não houver expulsado o medo. Vamos exagerar sempre que carregarmos o peso das questões de ontem para o hoje.

À medida que renovamos nossa mente, maus hábitos são quebrados e a tirania do medo é frustrada. Descobri há muito tempo que, não importa qual seja a cara das coisas, eu não estou no controle delas. Posso controlar a mim mesma, porém Deus está, em última instância, no controle de tudo.

Aceitar essa verdade coloca-nos no estado de espírito certo para nos comunicarmos de modo a sermos ouvidas.

Senhor, quando eu lutar e me esforçar para manter o controle, ajuda-me a lembrar que eu posso ao menos controlar minha língua e meu tom de voz. Pela tua graça, faz-me sensível à tua voz mansa e suave e permita que ela me guie.

Eu sou forte
QUANDO FALO DE UM JEITO CALMO E PODEROSO.

6

APAIXONADA

O pecado [...] deseja controlá-lo, mas é você quem deve dominá-lo.
GÊNESIS 4:7, NVT

Com excessiva frequência, nossa cultura limita a paixão aos confins do sexual, mas a paixão abrange um espectro muito mais amplo. É complicado defini-la, porque ela abrange os dois extremos da emoção humana: amor e ódio. A paixão está intimamente associada a emoção, entusiasmo, empolgação, desejo, afeição, amor, carinho. Quem não gostaria de ter mais disso? Por outro lado, ela também está associada a palavras que podem colocar-nos em apuros, como obsessão, desejo ardente e lascívia. E, então, no próximo nível, ela está associada a palavras como rompante, fúria, raiva, indignação, cólera, ressentimento e ira.

Entre esses extremos de amor e ódio, como podemos viver uma vida apaixonada sem nos esgotar?

Nós podemos seguir a sugestão de uma das primeiras histórias já contadas sobre paixão dando errado: a história de Caim e Abel, em Gênesis 4. Deus aceitou o sacrifício de Abel, feito de todo o coração, mas rejeitou o sacrifício de Caim, feito com o coração dividido. E Caim ficou furioso. Quando Deus viu que Caim estava cheio de raiva do irmão, "o Senhor disse a Caim: 'Por que você está furioso? Por que se transtornou o seu rosto? Se você fizer o bem, não será aceito? Mas se não o fizer, saiba que o pecado o ameaça à porta; ele deseja conquistá-lo, mas você deve dominá-lo'" (Gênesis 4:6,7).

Infelizmente, Caim não acertou as coisas com Deus. Em vez de dominar o pecado e governar sobre sua raiva, ele assassinou o irmão.

O alerta de Deus a Caim também é um alerta para nós. Sim, provavelmente não estamos a ponto de cometer assassinato, mas "se não [fizermos] o que é certo", o pecado está igualmente à nossa porta, à espera (Gênesis 4:7, NAA). Nós temos de governar nossas emoções e focá-las de modo construtivo, e não destrutivo.

A verdade é que a paixão pode ser um indicativo valioso, não importa em que ponta do espectro se encontre. A paixão se mostra como um estado físico e emocional intensificado de preparação para defender algo pelo qual somos... apaixonadas. Tendemos a ser apaixonadas pelo que é importante para nós. A maioria de nós não fica facilmente excitada pelo trivial, a menos que esteja ligado a algo significativo para nós, em uma escala maior. Assim, quando são despertadas, nossas paixões revelam o que é importante para nós. Podemos escolher canalizar essa energia para a vida, em vez de deixá-la descer ao reino do caos, como Caim fez. Mesmo em meio a extremos emocionais, temos o poder de escolha. Está dentro de nossa capacidade o governar nossas paixões e fazer escolhas que levem à vida.

Pai, ensina-me a ouvir as paixões da minha vida e trazê--las a ti para serem santificadas. Por favor, alinha o que é importante para mim com o que é importante para ti.

Eu sou forte
PORQUE POSSO ESCOLHER GOVERNAR MINHA ALMA, EM LUGAR DE PERMITIR QUE MINHAS PAIXÕES TENHAM PLENO DOMÍNIO.

7

ADORAÇÃO É MAIS DO QUE UMA CANÇÃO

[...] deixem-se encher pelo Espírito, falando entre si com salmos, hinos e cânticos espirituais, cantando e louvando de coração ao Senhor.
EFÉSIOS 5:18,19

Louvor e adoração é mais do que uma disciplina espiritual — é uma paixão, um prazer e uma chave para se apaixonar mais profundamente por Deus. Você se aproxima de Deus ouvindo e entoando canções de amor para ele e sobre ele.

No versículo de hoje, encontramos uma admoestação para que sejamos enchidas pelo Espírito durante o louvor e a adoração. Somos enchidas quando cantamos em voz alta e fazemos música no coração, mas esse versículo apresenta outra chave também... nossa comunicação com os outros sobre Deus. Adorar é mais do que cantar. Isso se revela em nossas conversas, porque é bem natural conversarmos sobre aquilo de que nosso coração transborda. Quando ama alguém, você fala sobre ele. É empolgante ser amada, e é claro que você gostaria de compartilhar a beleza disso com outros.

Os amigos compartilham vínculos comuns, e uma paixão compartilhada é como amigos em volta de uma fogueira, todos desfrutando livremente de seu calor e de sua beleza. Esse vínculo nos leva a edificar uns aos outros na verdade. É por isso que a adoração coletiva é tão poderosa; você expressa seu amor a Deus enquanto está cercado por amigos.

Os verdadeiros amigos elevam uns aos outros e se desafiam a andar de maneira agradável a nosso Senhor. Quando seus amigos seguem Jesus, vocês todos estão indo na mesma direção. Cerque-se daqueles que são um com você em espírito e propósito. Vocês nem sempre vão concordar em tudo. Seja dócil e proteja seus vínculos.

Seja enchida pelo Espírito e adore — em sua conversa, em canções e na comunidade de crentes.

Querido Senhor, permita que palavras e cânticos de louvor fluam de minha vida. Sobrepuja-me com teu amor até eu não conseguir mais ficar calada sobre o quão incrível é ser amada por ti.

Eu sou forte
PORQUE SOU FORTALECIDA POR UM ESTILO DE VIDA DE ADORAÇÃO.

8

AUTORIDADE ESPIRITUAL

Pois Deus não nos deu um Espírito que produz temor e covardia,
mas sim que nos dá poder, amor e autocontrole.
2TIMÓTEO 1:7, NVT

O Espírito Santo transmite poder, amor e autocontrole para nós. A combinação dessas três virtudes só pode produzir mulheres fortes. Estou convencida de que os dons que Deus colocou em nossas vidas individualmente não florescerão sem esses dons do Espírito em operação. Outra versão desse versículo diz: "Pois o Espírito que Deus nos deu não é de covardia, mas de poder, de amor e de equilíbrio" (NBV).

Não sei de nada que encerre nosso poder, amor e equilíbrio mais do que um espírito temeroso. Uma razão para isso é que o medo nos atormenta com perguntas que minam esses três atributos. Primeiro, vamos falar sobre o aspecto do poder. Outro modo de dizer isso seria autoridade espiritual. Nós temos de pouco a nenhum poder ou autoridade em nós mesmas. Adão entregou ao inimigo o domínio que Deus havia concedido a ele e a Eva no jardim. Pela obediência, Jesus recuperou o que havia sido perdido pela desobediência de Adão. "Então, Jesus aproximou-se deles e disse: 'Foi-me dada toda a autoridade nos céus e na terra'" (Mateus 28:18).

Nossa autoridade e nosso poder são concretizados em Cristo. Por que deveríamos temer se escondemos nossa vida nele?

Em 2Timóteo, Paulo incentiva Timóteo, um jovem ministro e discípulo de Jesus, a cultivar o dom da fé em sua vida. Sabemos disso porque, no versículo anterior, Paulo o faz recordar: "Por essa razão, torno a lembrar-lhe que mantenha viva a chama do dom de Deus que está em você mediante a imposição das minhas mãos" (2Timóteo 1:6).

Quer alguém tenha imposto as mãos sobre você, quer não, cada uma de nós recebeu uma medida de fé que temos a responsabilidade de multiplicar, cuidando dela. O tópico da fé é mencionado quase trezentas vezes no Novo Testamento. Uma das declarações mais impressionantes sobre a fé encontra-se no livro de Hebreus: "Sem fé é impossível agradar a Deus. Qualquer um que quer se aproximar de Deus deve crer que ele existe, e que recompensará aqueles que sinceramente o procuram" (11:6, NBV).

Muitas de nós creem que Deus existe. Onde levamos rasteira é no crer que ele recompensará aqueles que o procuram sinceramente. O medo atacará as mais fortes de nós com suas acusações. "Você não está fazendo o suficiente. Não é poderosa o suficiente. Não está amando o suficiente. Você não é suficiente." Por causa de Jesus, respondemos que em Cristo somos mais que suficientes.

Pai Celeste, obrigada por me dares teu Espírito Santo, o qual me lembra que em Cristo posso andar em amor, autoridade, paz e equilíbrio de mente.

Eu sou forte

PORQUE EM CRISTO ME FORAM DADOS PODER, AMOR E EQUILÍBRIO.

9
ORAR SEGUNDO O ESPÍRITO

Orem no Espírito em todas as ocasiões, com toda oração e súplica; tendo isso em mente, estejam atentos e perseverem na oração por todos os santos.
EFÉSIOS 6:18

Oração e obediência são as ferramentas mais poderosas na guerra espiritual, e estamos em época de alerta máximo. Observe que Paulo sugere que oremos no Espírito não apenas de vez em quando, mas em todas as ocasiões. Como oramos de acordo com o Espírito? Uma maneira é orar a Palavra de Deus. Ao ler as Escrituras, você descobrirá que há tantas orações diferentes quanto há necessidades. O "Pai nosso" é uma boa oração diária, mas, ao longo do dia, descobriremos diversas coisas pelas quais orar. Veremos pessoas necessitadas, nações em crise, líderes que precisam de sabedoria e discernimento. Nós devemos orar por nossos amigos, por nossa família e por nossos inimigos.

Outra maneira de orar no Espírito é ouvir a condução do Espírito Santo enquanto você ora. Haverá momentos em que você sentirá que algo está errado ou que alguém está em necessidade. Ore por essas coisas. Muitas vezes eu busco saber depois, e acabo descobrindo que a pessoa estava passando por um momento difícil.

A oração pode ser formal e informal. Você pode orar em pé, sentada, deitada ou ajoelhada. A oração pode ser tão alta quanto um grito ou uma meditação silenciosa do coração. Ela deve ser tão natural quanto a respiração. Nós somos encorajadas:

"Alegrem-se sempre. Orem continuamente. Deem graças em todas as circunstâncias, pois esta é a vontade de Deus para vocês em Cristo Jesus" (1Tessalonicenses 5:16-18).

Santo Agostinho disse assim: "Ore como se tudo dependesse de Deus e trabalhe como se tudo dependesse de você."

Somos tão poderosas quanto nossas orações. Mulheres fortes têm o cuidado de manter forte sua conexão de oração. Eu gosto de orar enquanto ouço música de adoração. Também gosto de manter um diário das minhas orações; ao longo das décadas, eles se tornaram testemunhos da fidelidade de Deus.

Nosso Pai Celeste sabia as batalhas que enfrentaríamos e providenciou tudo de que precisaríamos não somente para permanecer, mas para vencer. O inimigo continuará lutando contra nós, mas ele não vencerá.

Pai Celeste, ensina-me a orar até que seja tão natural quanto falar. Obrigada pela liderança do teu Espírito Santo.

Eu sou forte
QUANDO MINHAS ORAÇÕES SÃO FORTES.

Forte na pureza

I

PURA

Àquele que é poderoso para impedi-los de cair e para apresentá-los diante da sua glória sem mácula e com grande alegria, ao único Deus, nosso Salvador, sejam glória, majestade, poder e autoridade, mediante Jesus Cristo, nosso Senhor, antes de todos os tempos, agora e para todo o sempre! Amém.
JUDAS 24,25

Não somos capazes de nos manter puras, mas ele é. À primeira vista, pureza pode parecer a mesma coisa que santidade, mas não é. Santidade significa ser separada ou consagrada, enquanto pureza é o modo como nos conduzimos por sermos consagradas. A pureza é subproduto da santidade. Aprendemos a nos conduzir com pureza ao construir um fundamento edificado sobre a Palavra viva de Deus.

Deus quer ser nossa fonte de vida. Se você for verdadeiramente corajosa, convide o Espírito Santo a examinar seu coração e sua motivação à luz da Palavra perfurante e penetrante de Deus. Hebreus 4:12,13 diz:

> Pois a palavra de Deus é viva e eficaz, e mais afiada que qualquer espada de dois gumes; ela penetra até o ponto de dividir alma e espírito, juntas e medulas, e julga os pensamentos e intenções do coração. Nada, em toda a criação, está oculto aos olhos de Deus. Tudo está descoberto e exposto diante dos olhos daquele a quem havemos de prestar contas.

Confie em mim, isso não é para os fracos de coração. A Palavra de Deus não é meramente letras no papel... ela é viva. Se você quer a verdadeira força que advém de abraçar a verdade, eu a desafio a crer na Palavra e se aproximar. A Palavra viva do Senhor almeja dançar em seu coração e sussurrar a você durante a noite. Ela é tão afiada que consegue separar a alma do espírito e, no processo, revelar pensamentos e atitudes ocultos.

Lembre-se, nada está escondido de Deus. Ele vê tudo, ainda que nós não consigamos. Com muita frequência nosso coração nos engana; mas, se pedirmos pela verdade, Deus, por meio de sua Palavra, partilhará conosco de seu discernimento. Não queremos conselho de homem... Queremos a sabedoria e a percepção de Deus. Conselho de homem é sempre influenciado por cultura e padrões desta era. É a tolice, que se reajusta a cada década mais ou menos, refletindo a temperatura moral da sociedade. Mas a Palavra de Deus permanece para sempre, e é o padrão ao qual prestaremos conta.

Na Bíblia, você será confrontada com verdades e promessas que inicialmente podem parecer impossíveis ou irrealistas... mas não o são. Ao aceitarmos e recebermos a Palavra, aprenderemos que pureza e santidade são possíveis. Porque o chamado de Deus à santidade não se trata de regras; trata-se de ser dele.

Pai Celeste, eu convido tua Palavra para ser viva e eficaz em minha vida. Tu és aquele que me santifica; por isso, separa-me das mentiras que dizem que pureza é impossível. Quero viver de tal modo que os outros saibam que eu sou tua.

Eu sou forte
PORQUE A PALAVRA DE DEUS É VIVA E EFICAZ EM MINHA VIDA.

2

DEVOTADA

O zelo que tenho por vocês é um zelo que vem de Deus. Eu os prometi a um único marido, Cristo, querendo apresentá-los a ele como uma virgem pura. O que receio, e quero evitar, é que assim como a serpente enganou Eva com astúcia, a mente de vocês seja corrompida e se desvie da sua sincera e pura devoção a Cristo.

2CORÍNTIOS 11:2,3

Eu tenho paixão em ver o poder da pureza reinar na vida de todas as mulheres, solteiras ou casadas, jovens ou velhas. Quando falamos sobre pureza na igreja, geralmente estamos falando sobre escolhas e comportamentos sexuais, mas pureza, conforme mencionado no versículo de hoje, refere-se à nossa "pura devoção [interna] a Cristo". A pureza começa na nossa mente. E a luta pela pureza inclui recusar-se a ser desviada pelo enganador. Isso significa procurar, na Palavra, pela verdade e convidar o poder do Espírito Santo a entrar em seu coração, a fim de separar a verdade da falsidade.

Como Paulo aponta no versículo de hoje, é possível que nos desviemos de nossa pura devoção a Cristo. Podemos escolher as palavras que ouviremos: as de nosso Salvador ou as do tentador, que procura tirar nossa vida. É a Palavra de Deus que é a autoridade suprema. Se você pedir a Deus, ele tomará a espada do Espírito e cortará fora toda falsidade de sua vida.

Se bastante pressão for aplicada a nós em uma dada situação, nós, por fim, vacilaremos em qualquer batalha que ainda não houvermos vencido interiormente.

Comecemos com a pureza de pensamento. Se levarmos todo pensamento cativo, para torná-lo obediente a Cristo (2Coríntios 10:5), veremos a pureza fluir para todas as áreas da vida.

Querido Pai Celeste, tu és a própria essência de pureza e santidade. Sou tua e me comprometo a aceitar e receber tua Palavra, concedendo a ela honra, preeminência e autoridade em todas as áreas de minha vida. Convido a espada da tua Palavra a cortar fora todo emaranhado doentio e ímpio, para me purificar de dentro para fora.

Eu sou forte
PORQUE BUSCO PUREZA COMO A UM TESOURO, EXTRAINDO FORÇA DAS PALAVRAS GENUÍNAS DE CRISTO.

3
O PACOTE

[...] o homem vê a aparência, mas o SENHOR vê o coração.
1SAMUEL 16:7

Você pode olhar o versículo de hoje e argumentar que a aparência não importa, porque Deus olha para o coração. Bem, graças aos céus ele olha nosso coração! Mas nós ainda vivemos na terra, e todos aqui olham para o exterior e são movidos pelo que veem.

Somos exortadas a ter cuidado com o modo como nos "empacotamos". Fomos alertadas de que a vaidade é uma esperança efêmera e, portanto, é tolice confiar em nossa aparência. Mas, só porque não confiamos nela, não significa que devemos negligenciá-la.

O fato é que estamos sempre comunicando algo, quer seja nossa intenção, quer não. Nossas mensagens sairão por um de três canais: o que dizemos (nossas palavras e nosso tom), o que fazemos (nossas maneiras e ações) e nosso aspecto (nossa aparência ou apresentação visual). E as pessoas geralmente são mais influenciadas pelo que veem do que pelo que ouvem.

Quando entendemos isso, podemos usá-lo a nosso favor e comunicar nossas intenções de modo efetivo. Estou certa de que você já ouviu uma ou outra forma do velho ditado: "Você nunca tem uma segunda chance de causar uma boa primeira impressão." Bem, pode ser velho, mas certamente nunca foi tão verdadeiro. Jamais houve tantas formas de expressão, mas o que exatamente estamos dizendo?

O modo como você se veste e se apresenta não apenas envia uma mensagem imediata aos outros, mas também pode sugerir mais do que você pretendia. Pode denunciar algo que você realmente pensa de si mesma. Ou algo em que você confia. Ou de onde você pensa que vem sua influência. Ou, é claro, a quem você pertence.

Não vou dar-lhe conselhos específicos de moda, pois apenas você pode responder: o que tem comunicado atualmente? Que mensagem está enviando? É um reflexo preciso de quem você é ou está só posando e publicando?

Digamos que sua aparência e seu visual externos reflitam com precisão quem você seja. Talvez você diga: "Eu sou profissional, e minha vestimenta é apropriada para minha profissão." Ou, quem sabe, você seja uma estudante e sente que seu estilo de roupa reflete isso muito bem. Mas vamos um pouco mais a fundo. De que modo você afeta os outros pela sua maneira de vestir? As pessoas veem você ou só o que está vestindo? Quando os outros olham para você, o que veem?

Embora jamais devamos confiar em nossa aparência, nós podemos usar essa forma de comunicação de maneira sábia e piedosa, assim como fazemos com nossas palavras e ações.

Senhor, mostra-me como ser sábia em todas as formas de comunicação, incluindo o modo como me apresento. Revela a mim o que realmente estou dizendo com minha aparência e faz com que seja tudo para tua glória.

Eu sou forte
PORQUE SOU O PACOTE COMPLETO: INTERNA E EXTERNAMENTE DEVOTADA A DEUS.

4

TECIDA EM MARAVILHAS

Antes que eu te formasse no ventre materno, eu te conheci.
JEREMIAS 1:5, ARA

Deus está intimamente envolvido em nossa formação. Ele nos teceu no ventre muito antes que nossa mãe pudesse sentir nossa presença. Antes que pudéssemos sequer ter a capacidade de conhecer a nós mesmas… ele nos conhecia. Enquanto crescíamos em segredo, ele planejou os dias de nossa vida e estendeu diante de nós o caminho de nosso destino. Você nunca foi somente um amontoado de células; você sempre esteve viva nele.

Toda criança nascida é um presente de esperança, confiado aos nossos cuidados. Se você já testemunhou o milagre de um nascimento humano, então sabe que cada bebê está envolto na maravilha do potencial.

Lembro que, antes mesmo de saber que estava grávida de meu terceiro filho, eu senti a vida dele se agitando em mim. John estava ministrando em Rochester, Nova York, e, durante o culto, senti-me incomumente fraca. Achei que fosse desmaiar, então me sentei. Enquanto me assentava, ouvi o Espírito Santo sussurrar: "Você carrega uma vida… Dentro de você está crescendo um filho." Naquele mesmo momento, senti-me esmagada pela presença de Deus. Esse é apenas um exemplo de quão intimamente Deus conhece os bebês que crescem no útero.

Mas, e se nunca lhe contaram isso? E se ninguém jamais lhe contou que você foi tecida em maravilha e conhecida pelo seu Criador? E se, em vez disso, você ouviu coisas insinuando que era um acidente ou um erro? Se não conseguimos perceber a maravilha envolvida em nossa própria criação, será difícil reconhecer a maravilha nos outros. Se fomos criadas aprendendo a *nos* sentir um incômodo, será fácil vermos uma criança como uma intromissão.

Muitas mulheres sentem-se pressionadas a equilibrar tudo — carreira, maternidade, atividades extras — porque nossa cultura de capitalismo despojou o valor da maternidade. De muitas maneiras, a vida é um teste cronometrado. Você sempre pode ter uma carreira e ser uma mãe presente. Meus filhos me trouxeram mais alegria e oportunidade de crescimento do que qualquer conquista na carreira. Se você quer ser mãe, não tenha vergonha. Isso lhe exigirá mais do que você jamais poderia imaginar, porém, ao mesmo tempo, retribuirá mais do que você jamais poderia sequer sonhar.

Pai Celeste, tu és o doador da vida. Eu creio que tu me teceste em maravilha e traçaste meus dias com um sorriso. Tu confiaste às mães uma nobre tarefa, pois os filhos são um presente teu.

Eu sou forte
PORQUE EU FUI FEITA
POR ELE E PARA ELE.

5
LAÇOS DE ALMA

Não pensem que vim trazer paz à terra; não vim trazer paz, mas espada.

MATEUS 10:34

Jesus quer libertar cada uma de nós de qualquer coisa que nos afaste dele. Guerra espiritual envolve confrontar qualquer ídolo ou obstáculo que atrapalhe nosso relacionamento com ele.

Acredito que podemos combater áreas de cativeiro. Quando via correntes, Jesus as quebrava; quando via demônios, Jesus os expulsava; quando via pessoas oprimidas e doentes, Jesus as curava; quando via pessoas acorrentadas pelo pecado, Jesus as perdoava e depois as capacitava a ir e não pecar mais. Eu amo Jesus porque ele é tão real, relevante e prático!

Eu me dei conta de que estava sofrendo o cativeiro de laços de alma doentios, os quais precisavam ser cortados. O que é um laço de alma? Em termos simples, é quando nossa alma se une a outra. Agora, isso pode ser tanto uma coisa boa quanto uma coisa ruim. A alma de uma mãe é unida à de seu bebê. Mas, à medida que ele cresce e se torna homem, seu relacionamento com a mãe deve mudar, a fim de poder dar o coração à esposa. A alma do marido deve estar unida à da esposa, a fim de os dois poderem tornar-se uma só carne. Esses são laços bons e saudáveis, que ligam e unem nosso coração em amor. Laços saudáveis assim também podem ser criados na amizade, como na de Davi e Jônatas. Os seus podem ser com uma irmã ou uma amiga próxima. Existe um conhecimento tácito entre vocês.

Quando, porém, laços de alma doentios se formam, há controle e medo em lugar de união e comunhão. Eles podem formar-se por meio de sexo ilícito, dependência doentia ou relacionamento disfuncional ou abusivo. Laços de alma doentios deixam-nos partidas. Muitas vezes tentamos desatá-los, mas tenho aprendido que é melhor deixar que o Senhor passe sua espada e rompa o que nos amarra. Somente Deus nos pode restaurar do quebrantamento à completude.

Temos um Sumo Sacerdote fiel e compassivo que conhece você intimamente. Ele está disposto a usar a espada para romper qualquer coisa que a afaste dele. Ele quer que todos os laços de alma doentios sejam rompidos, a fim de que somente o que é saudável permaneça. Ele enviará a Palavra para curar e restaurar sua alma. Separe algum tempo para oração, de modo a permitir que Deus realize a purificação de sua vida. Peça ao Espírito Santo que revele qualquer laço de alma doentio e, então, convide a espada da Palavra para cortá-lo. Aquele que promete é fiel.

Senhor, por favor, revela quaisquer laços de alma doentios em minha vida e quebra-os com o poder do teu Espírito Santo. Cura-me e restaura minha alma. Mostra-me como nutrir os bons laços em minha vida e mantê-los saudáveis.

Eu sou forte
PORQUE MINHA ALMA CRIOU LAÇOS COM A VERDADE.

6

ARREPENDIMENTO CURADOR

Tu criaste o íntimo do meu ser e me teceste no ventre de minha mãe. Eu te louvo porque me fizeste de modo especial e admirável. Tuas obras são maravilhosas! Digo isso com convicção. Meus ossos não estavam escondidos de ti quando em secreto fui formado e entretecido como nas profundezas da terra. Os teus olhos viram o meu embrião; todos os dias determinados para mim foram escritos no teu livro antes de qualquer deles existir. Como são preciosos para mim os teus pensamentos, ó Deus! Como é grande a soma deles!

SALMOS 139:13-17

Aqui, Davi captura um relato poético detalhado de toda vida que agracia o útero. Mas, e se você experimentou a dor do aborto? Nesse caso, preciso falar sobre cura. Você pode ter sido uma filha assustada que acreditou em uma mentira, ou talvez tenha perdido um neto. Qualquer que seja a circunstância e quem quer que você seja, creio que Deus, o Pai, está dizendo: você está perdoada e uma vida aguarda por você do outro lado.

Os abortos raramente são lamentados de modo aberto. A beleza dessas pequenas vidas é varrida de modo hábil e eficiente. Somente depois é que o manto de culpa e vergonha cobre a mãe, o pai e os demais envolvidos.

Vivemos em uma cultura que é esmagadoramente egoísta. Ela jamais poderá capacitá-la a viver em piedade, porque é governada pelas demandas do eu. Também enfrentamos o desafio de igrejas que são severas ou julgam as mulheres grávidas solteiras. Recentemente, participei de um painel no qual duas das cinco mulheres cristãs presentes haviam feito aborto porque não conseguiram enfrentar o julgamento e a vergonha trazidos pela igreja. As mulheres buscando abortar ouvem da sociedade uma narrativa muito diferente:

"Você é jovem e bonita… tem toda uma vida pela frente."

"Um dia você será uma mãe maravilhosa, mas hoje não é o momento."

"Você pode ter filhos quando estiver pronta."

"Esse bebê não é desejado, e toda criança merece ser desejada."

Ouço falar de mulheres jovens e velhas que deram ouvidos a esse tipo de conselho e viveram para se arrepender. Elas entraram na clínica como duas pessoas e saíram quebradas e despedaçadas. Não devíamos nós, que conhecemos o amor e a misericórdia de Jesus, ser mais acolhedoras do que as clínicas de aborto? Pró-vida não é uma postura de votação; é um estilo de vida que apoia adoções e escolhas corajosas.

Por mais doloroso que seja o arrependimento, nós jamais podemos voltar e mudar o que aconteceu. Nossa esperança está em olhar para a frente. Você deve abraçar a verdade e o perdão de Deus. Se você fez um aborto, perdoe a si mesma e deixe a cura começar.

Pai Celeste, mostra-me como ser instrumento de cura e não de julgamento. Eu quero ver a beleza e o valor da vida do modo como tu vês.

Eu sou forte
PORQUE ESCOLHO VIDA E ESPERANÇA NO LUGAR DE LÁGRIMAS E VERGONHA.

7
CASAMENTO HONRADO

O casamento deve ser honrado por todos; o leito conjugal, conservado puro; pois Deus julgará os imorais e os adúlteros.
HEBREUS 13:4

Para tratar desse versículo, precisamos primeiro entender melhor a palavra honra. Honramos algo ou alguém quando adicionamos um peso ou valor maior ao que aquilo ou aquela pessoa é. Por exemplo, eu honro meu marido quando falo com respeito e trabalho com ele, e não contra ele. Por outro lado, quando desonra alguém ou algo, você é descuidada e imprudente, porque não valoriza aquilo ou aquela pessoa. No casamento, o marido pode desonrar a esposa tanto quanto a mulher pode desonrar o marido, por não entenderem esse princípio de honra. O versículo em Hebreus fala especificamente sobre honrar o "leito conjugal" ou o lugar de intimidade.

Nós honramos nosso casamento antes das núpcias, ao permanecermos puras. O sexo fora do casamento desonra a aliança do casamento, os indivíduos envolvidos no ato e a Deus. Em contrapartida, o sexo dentro da aliança do casamento honra a Deus, os indivíduos e o casamento. Outra maneira de honrarmos nosso casamento é nunca permitir que outras pessoas ou coisas entrem em nosso lugar de intimidade. Isso significa não nos envolvermos naquilo que detrai a beleza da união sexual exclusiva. Alguns desses detratores são pornografia, masturbação, perversão, prostituição e impureza.

Por não haver vivido essas verdades antes, eu tive de enfrentar muitos lugares sombrios depois que me casei. Eu devia ser capaz de me entregar livremente ao meu marido, mas me via atada às escolhas do meu passado.

Nós somos criadas para unir-nos sexualmente a apenas uma pessoa, porque a intimidade sexual é reservada para a união de duas pessoas que se tornam uma por meio da aliança do casamento. A intimidade deve ser exclusiva para ser íntima. Optar por fazer sexo com muitos degrada o que há de especial na pessoa escolhida.

Creio que essa seja uma das razões pelas quais o adultério, em suas diversas formas, está desenfreado em nossa cultura. Por não entender o conceito de aliança, as pessoas dizem: "Casamento é só um pedaço de papel." O casamento não é meramente duas pessoas se tornando uma; é Deus fazendo das duas uma. Se não entendermos que o casamento inclui três, não um, ele se torna só... um papel.

Honrar a Palavra de Deus traz força, aliança e intimidade ao casamento. Deus está no processo de restaurar o que foi rasgado e curar o que foi desonrado.

Pai Celeste, ensina-me a honrar o casamento. Espírito Santo, revela qualquer área de contaminação e desonra na questão do meu casamento ou de minha opinião sobre isso. (Esta oração pode ser feita quer você seja solteira, quer seja casada.) Eu quero honrar tua aliança de intimidade em minha vida.

Eu sou forte

QUANDO PROTEJO A INTIMIDADE E REJEITO O QUE VIOLA UMA ALIANÇA DE CASAMENTO.

8

PROTEGIDA

O Senhor é a minha rocha, a minha fortaleza e o meu libertador.
SALMOS 18:2

Eu estava em choque. Nosso pastor havia acabado de me pedir para falar com um grupo de garotas sobre pureza sexual, e eu não fazia a menor ideia do que lhes diria. Eu não estava só perdida, aquilo já beirava o terror. O que havia de errado comigo? Durante anos, eu viajara pelo mundo todo falando diante de grandes grupos de mulheres de todas as idades. Por que eu estava com medo das meninas do nosso grupo local de jovens de Ensino Médio? Respirei fundo. Eu só precisava conseguir controlar-me. Afinal, eu era esposa de um ex-pastor de jovens. Sobrevivera àqueles dois anos mais ou menos incólume. Então, percebi que não era a faixa etária o que me incomodava... era o assunto. Eu sabia que elas me perguntariam o que podiam e não podiam fazer em um relacionamento com um garoto.

O que eu ia dizer para um bando de garotas de Ensino Médio sobre "limites"? Eu nem sequer tive filha e quase não tive tempo de me preparar.

Fui ao chão e orei. "Pai, eu realmente preciso de uma resposta para aquelas meninas. Quero transmitir a tua sabedoria, não a minha opinião ou a de outra pessoa. E eu realmente preciso saber logo".

Esperei. Nada. Levantei-me do chão e fui para o chuveiro. O dia seguinte era o dia D. Enquanto tomava banho, minha mente vagava, até que ouvi o Espírito Santo falar e ajustar o meu foco: "Você está procurando regras para restringir o comportamento delas. Regras não as guardarão. O poder de que precisam deve nascer de um relacionamento. Não lhes diga o que não podem fazer; diga-lhes o que *podem* fazer. Diga-lhes que elas podem ir tão longe com o namorado quanto se sentem à vontade de ir em frente de seus pais!"

Essa foi minha resposta. O pai deve ser o protetor da virtude da filha. Talvez esse não seja seu caso. Pode ser que você não tenha um pai terreno para protegê-la. A boa notícia é que você tem um celeste. Ele jamais gostaria de vê-la sendo usada ou violada. Talvez você já tenha ido longe demais. Independentemente de seu passado, ele está cuidando de seu futuro. Essa resposta não se aplica apenas a adolescentes; é para toda filha que acha difícil ser pura em uma cultura impura.

Não são as regras que mudam nosso coração. Nós respondemos a uma ordem superior. Respondemos ao amor. Trata-se de um relacionamento com nosso Pai Celeste. Em lugar de limitações, moral e código de ética esculpido em pedra fria, nós temos verdades vivas gravadas em nosso coração. Quando transformamos nossa fé em uma lista de "faça e não faça", perdemos esse relacionamento com aquele que deseja o melhor para nós.

Pai Celeste, que minha pureza venha de meu relacionamento contigo. A despeito de meu passado, eu te nomeio meu protetor e te convido para os espaços mais íntimos de minha vida.

Eu sou forte
PORQUE SOU CAPACITADA POR UM RELACIONAMENTO COM O PAI, E NÃO POR REGRAS.

9

UMA NOIVA

[...] assim como o noivo se regozija por sua noiva, assim o seu Deus se regozija por você.

ISAÍAS 62:5

Eu amo o fato de Deus nos comparar à sua noiva. Recentemente, dois dos meus filhos se casaram. Assisti da primeira fileira enquanto os dois choravam ao ver as noivas se aproximando, o que, obviamente, me fez chorar. As noivas estavam radiantes em branco e perfeitamente adornadas. Gosto de pensar que é assim que Jesus nos vê. Em Apocalipse 19:7, lemos: "[...] e a noiva [do Cordeiro] já se aprontou."

Como fazemos isso? Para explorar a resposta, sondemos um pouco mais. Como uma noiva se prepara para o noivo? É mais do que um belo vestido, cabelo e maquiagem; é uma preparação que acontece no coração. A seguir estão alguns de meus pensamentos:

- Uma noiva almeja agradar ao noivo de todas as maneiras.
- Uma noiva deseja ser pura e apaixonada em tudo o que faz.
- Uma noiva almeja ser compreendida em uma profundidade que suas palavras não conseguem comunicar.
- Uma noiva precisa sentir-se segura quando se faz vulnerável.
- Uma noiva ama a liberdade de expressar-se sem medo.
- Uma noiva se deleita com surpresas e presentes inesperados.
- Uma noiva ama compartilhar segredos com o noivo.

- Uma noiva ama ser buscada pelo amado e buscá-lo em retribuição.
- Uma noiva ama experimentar a alegria de pertencer.
- Uma noiva deseja ser cuidada, protegida, direcionada e até gentilmente corrigida.
- Uma noiva é consumida de amor pelo noivo.

Creio que esses e outros desejos estejam incrustados no coração de toda filha de Deus. Nós podemos ousar permitir que esses desejos despertem nosso coração, porque o desejo mais profundo do Senhor é nos amar em tudo o que ele nos criou para ser. Jesus, nosso noivo, pede: "Deixe-me amar você."

Ninguém mais pode amar-nos dessa maneira. Esses anseios são tão profundos, que nenhum homem terreno pode satisfazê-los todos. O amor terreno pode escapar-nos e nos decepcionar, porque é por outro que ansiamos. Seu Príncipe celeste nunca irá decepcioná-la ou magoá-la. Os desejos mais profundos em você foram forjados por ele, que sempre foi o que seu coração deseja.

Ele providenciou tudo de que você precisa. Por que não se envolver na justiça de Deus? Adorne-se com adoração a ele. Festeje nesse abraço e deixe seu coração dançar diante dele.

Querido Pai Celeste, tu me amas em tudo o que me criaste para ser. Como noiva, eu me prepararei para ti. Põe-me como um selo sobre o teu coração, e, enquanto ando em tudo o que tens para mim, que eu sinta que tu sorris.

> *Eu sou forte*
> **PORQUE MEU NOIVO ALEGRA-SE COMIGO.**

Forte na verdade

SÁBIA COM AS PALAVRAS

As palavras agradáveis são como um favo de mel, são doces para a alma e trazem cura para os ossos.
PROVÉRBIOS 16:24

O apóstolo João escreveu ao amigo Gaio: "Amado, oro para que você tenha boa saúde e tudo lhe corra bem, assim como vai bem a sua alma" (3João 2).

João devia saber que nossa saúde é afetada pelo bem-estar de nossa alma. Não há como separar as duas coisas. Elas estão intimamente entrelaçadas. Embora as palavras não possam infligir danos físicos, a Bíblia as compara a uma arma letal e a um bálsamo curador: "Há palavras que ferem como espada, mas a língua dos sábios traz a cura" (Provérbios 12:18).

Palavras ofensivas e raivosas agem sobre nós como punhaladas dolorosas. Uma golpeia nosso ombro, outra arranha nossa barriga e uma encontra seu alvo em nosso braço, e, depois, o agressor foge correndo. O ataque nos deixa aturdidas e com as roupas manchadas de sangue. Sentindo-nos a desmaiar, fechamos os olhos por um momento, perguntando-nos como é que palavras podem fazer tanto estrago.

Então ouvimos outra voz. É mansa e gentil. Sentimos-lhe o calor enquanto uma névoa dourada de luz domina a escuridão. Palavras de vida e cura cancelam aquelas palavras que nos feriram. *Eu te amo. Estou contigo. Você é minha.* Seu calor suave acalma a dor ardente. Cada agradável palavra atua como um restaurador.

Este é o poder que as palavras têm em nossa alma. Palavras podem ferir e palavras podem curar. Com esse conhecimento, usemos nossas palavras para libertar e curar outras pessoas, em vez de apunhalá-las e feri-las. Em lugar de sermos descuidadas com as palavras, tenhamos cuidado e escolhamos ser sábias com elas. Ao controlar o que dizemos, respeitamos o poder das palavras.

Palavras simples de encorajamento e compaixão podem fazer toda a diferença para alguém. Quando falamos a Palavra de Deus, temos em nosso poder um remédio que dá vida. Somente o Senhor é o curador, por isso não surpreende que suas palavras sejam curativas. Custa tão pouco encorajar os outros! E isso os beneficia de mais maneiras do que podemos imaginar.

A escolha é sua. A sua fala vai causar estrago ou saúde hoje?

Deus, ensina-me o poder das palavras e ajuda-me a usá-las para trazer cura e encorajamento àqueles que colocaste em meu caminho.

Eu sou forte
QUANDO ESCOLHO USAR MINHAS PALAVRAS PARA TRAZER CURA, SABEDORIA E VIDA.

2
NÃO DIVIDIDA

Ensina-me teu caminho, Senhor, para que eu me apoie em tua fidelidade; dá-me um coração não dividido, para que eu tema o teu nome.

SALMOS 86:11, TRADUÇÃO LIVRE*

Muitos anos atrás, John e eu visitamos Israel, e ainda me lembro do que nosso guia nos contou sobre os romanos. Ele afirmou que esses eram conquistadores um tanto benevolentes, que até permitiam ao povo judeu manter as próprias crenças religiosas, desde que adotassem a cultura romana. Queriam que se parecessem com romanos, vivessem e agissem como romanos.

As táticas de invasão não mudaram muito desde então. O conselho da presente estratégia apela a nós: "Você pode ter sua religião, desde que também endosse nosso sistema de crenças. Não seja tola, não há só uma verdade; há muitas. Você pode crer no que quiser, se agir como nós!"

Mas, claro, isso não funciona para nós. Deus nunca nos chamou para sermos um com a nossa cultura. Nós somos um nele. Isso significa que cremos em Jesus quando ele diz: "Eu sou o caminho, a verdade e a vida. Ninguém vem ao Pai, a não ser por mim" (João 14:6).

Nós seguimos nosso Senhor, e não qualquer verdade que esteja na moda atual. A Verdade dele nos inspira a deixar para trás nossos caminhos e a responder à altura da perspectiva de Deus. O modo de pensar de Deus é totalmente diferente do modo como processamos as coisas. Palavras vazias de compromisso incentivam-nos a

---
* Tradução livre da New International Version da Bíblia. [N. do T.]

permanecer as mesmas, dando desculpas pelo nosso comportamento. Este mundo não é nosso lar; estamos apenas de passagem, o que significa que não estamos mais em conformidade com a nossa cultura, mas estamos sendo transformadas pelo relacionamento com nosso Santo Deus.

Encontramos conselho na Palavra de Deus, e não na esperteza e sabedoria deste mundo atual indiferente. Como seguidoras de Cristo, somos chamadas a encorajar umas às outras. Isso significa acrescentar coragem umas às outras, falando das promessas de Deus. O mundo nos diz: "Faça o que quiser. Você é você." Mas somos embaixadoras do céu, andando pela face da terra em um tempo de grande confusão. E, em lugar de vivermos para nós mesmas, vivemos para Deus.

A Palavra do Senhor não deve ser diluída até se misturar sem problemas com a sabedoria desta era. A Palavra de Deus sempre esteve sozinha. Nós temos conflitos quando andamos com um pé em cada mundo, porque nossos afetos ficam divididos. No versículo de hoje, Davi destaca nossa necessidade de um coração não dividido. Creio que você esteja lendo isso porque deseja servir a Deus de todo o coração. Ele quer que não haja conflitos em nossos afetos. Ele nos convida a colocar o coração na segurança dos cuidados divinos e, então, travar guerra contra os inimigos de nossa alma.

Senhor, teu reino é minha cultura. Dá-me um coração não dividido, para que eu tema o teu nome.

Eu sou forte
QUANDO MEU CORAÇÃO NÃO ESTÁ DIVIDIDO.

3

MURALHAS

Naquele dia, o povo de Judá cantará este hino: A nossa cidade é forte! Deus nos protege com altas muralhas.
ISAÍAS 26:1, NTLH

Nos tempos antigos, muralhas eram erigidas ao redor da cidade como fonte de proteção. Elas eram um obstáculo, que mantinha animais selvagens e inimigos afastados. É um conceito estranho para nós, mas essas cidades eram cercadas, por todos os lados, por muralhas não escaláveis. Elas eram um aviso para quem estava de fora: "Você não poderá entrar até que saibamos ser seguro." Também serviam como barreira de proteção para os que viviam dentro de seus limites. Os habitantes da cidade aprendiam a confiar nas muralhas e nos porteiros para obter proteção contra invasores e vandalismo. Aquelas grossas paredes protegiam os cidadãos de doenças que assolavam ao redor. Os muros agiam como barreiras contra vento, chuva e tempestades no deserto.

Agora, à luz disso, imagine uma cidade sem muralhas, que fosse invadida e saqueada à vontade. Inimigos e invasores entrariam e sairiam como bem entendessem. Quem ia querer viver onde não há proteção... onde não há abrigo?

Quando não protegemos nosso espírito, habitamos em um lugar semelhante. Nosso coração não é mais um porto de segurança e paz, mas se torna uma cidade violada e saqueada. Tornamo-nos sujeitas a nosso humor, impulso e qualquer mentira ou palavra destrutiva que passe pelos nossos ouvidos. A frustração torna-se nosso pão diário, e a tristeza e o arrependimento são nossa porção.

Sendo assim, como reconstruímos as muralhas que nos protegem? Podemos começar adicionando intenção a nossas palavras, sendo cuidadosas para usar palavras que curem e edifiquem. Aprenda a Palavra de Deus e como ela se aplica a seu casamento, trabalho, filhos e amizades. Abençoe essas áreas de sua vida e se recuse a amaldiçoá-las. Permita à Palavra de Deus transformar-lhe a alma, e você colherá os benefícios.

É imperativo permitir que Deus desembarace você de qualquer enrosco ou armadilha que tenha ocorrido como resultado de acessos de raiva ou palavras prejudiciais anteriores. Podem ser palavras que você tenha falado ou palavras destrutivas que outras pessoas lançaram como mísseis contra suas muralhas. Tenha consciência da enxurrada de palavras autodestrutivas que usamos contra nós mesmas, como: "Ninguém se importa de verdade comigo. Eu vou acabar sozinha e traída." Ou: "Eu sou feia e gorda. Por que alguém ia gostar de mim?" Essas palavras nos ferem e fazem nossos muros desmoronarem. Em vez disso, procure na Palavra materiais de construção — use as promessas de Deus para descobrir e declarar a verdade sobre si mesma e deixe que elas se tornem uma forte muralha de proteção ao redor de seu coração.

Querido Pai Celeste, mostra-me a verdade sobre mim e sobre minha vida em tua Palavra. Ajuda-me a construir fortes muralhas de verdade ao redor de meu coração, a fim de poder florescer protegida por elas.

Eu sou forte
QUANDO PROTEJO MEU CORAÇÃO
COM A ESPADA DE DEUS.

4

DAR UMA VOLTA

Porque não há nada oculto que não venha a ser revelado, e nada escondido que não venha a ser conhecido e trazido à luz.

LUCAS 8:17

Quando me mudei para o Colorado, fui comprar um sofá para minha sala de estar. Lembro-me de encontrar um do qual realmente gostei. Pensei: "Aqui está o sofá perfeito." Parecia fantástico, apoiado na parede da loja de móveis, cercado por belos acessórios e pinturas. Mas, então, lembrei que meu sofá não teria uma parede atrás de si. O sofá teria de ficar bom por conta própria, sem uma parede para se apoiar. Quando puxei o sofá, afastando-o da parede para olhar, percebi que, no final das contas, não funcionaria. Se houvesse olhado apenas para a frente do sofá, eu o teria levado para casa. Eu ia amar… até que dei uma olhada em sua traseira.

A maioria de nós vê apenas o lado "bonito" do pecado. Gostamos da aparência, da sensação e dizemos a nós mesmas: "Eu quero!" Só mais tarde verificamos o que há por trás e sentimos a vergonha.

Quando, porém, dizemos ou fazemos coisas pecaminosas em segredo, não é Deus quem nos deixa envergonhadas; nós envergonhamos a nós mesmas. É como plantar sementes em segredo e ficar zangada com Deus quando uma planta aparece. Talvez acreditemos ser capazes de esconder as coisas bem o bastante para que o versículo de hoje não se aplique de fato às nossas circunstâncias. Mas, se a Escritura diz que nada ficará oculto, é para valer, sem exceção.

Dada essa percepção, é importante vivermos com uma maior consciência de nosso comportamento. O livro de Efésios chama isso de viver circunspectamente. "Mas todas as coisas que são expostas são manifestas pela luz, pois a luz manifesta qualquer coisa [...] Portanto, cuidem para andarem circunspectamente, não como tolos, mas como sábios" (Efésios 5:13,15, tradução livre*).

Viver circunspectamente significa viver com a percepção de que nossa vida inteira está conectada e chegará o tempo em que um evento de nosso passado nos alcançará no futuro. A raiz da palavra *circum* significa "dar a volta" ou "cercar". *Spec* significa "olhar para ou ver algo", como um construtor que faz uma casa do começo ao fim, especulando e considerando o que clientes em potencial buscarão comprar. Da mesma forma, temos o encargo de viver ponderando decisões e ações de todos os ângulos e pontos de vista. Precisamos dar uma volta em torno de nossas decisões, visitando todos os cômodos e tendo certeza de que gostamos da aparência de todos os ângulos. Então podemos agir com sabedoria e tomar boas decisões que nos tragam força.

Senhor, faz-me lembrar de que para ti tudo está aberto. Não há nada que eu possa esconder de ti. Que eu seja circunspecta em todos os meus relacionamentos, agindo de modo a te trazer honra.

Eu sou forte
PORQUE NÃO VIVO APENAS PARA O HOJE.

---

* Tradução livre da New King James Version da Bíblia. [N. do T.]

5

DEIXANDO A TERRA DO REMORSO

---

*Havia quatro leprosos junto à porta da cidade. Eles disseram
uns aos outros: "Por que ficar aqui esperando a morte?"*
2REIS 7:3

Chega um momento em que cada uma de nós deve decidir que basta. O remorso devora o coração humano tão certo quanto a lepra devora a carne humana. Garotas fortes sabem quando é hora de levantar e andar. Para evitar uma vida da qual se arrependerá, viva de propósito, com um olho no futuro. Todas nós precisamos andar com o destino em mente. Sem destino, uma caminhada se torna uma vagueação. Realmente não há outra maneira de viajar para onde você quer ir. Talvez você se encontre agora em um lugar ao qual não desejava ir. Talvez esteja vivendo na sombria terra do remorso. Tenho um segredo para lhe contar: O remorso vai mantê-la nesse lugar.

É hora de você trocar a frase "se ao menos!" por "mesmo agora". O remorso continuará ressoando em nossa vida até que seja abordado de frente.

Creio que cada geração tem a oportunidade e o mandato de reparar seus erros, falando a verdade e alertando a geração seguinte, algo que jamais conseguiremos fazer se nos atolarmos em remorso. Ao fazermos reparação por nossos arrependimentos, transmitimos um legado de aprendizado. Isso significa que a próxima geração terá a oportunidade de subir mais alto, ver mais claramente e evitar as mesmas ciladas em que caímos. Não é hora de ficarmos apáticas em relação ao que lamentamos em nosso fracasso passado ou de vagarmos sem direção. É hora de seguirmos em frente.

Deus, eu me recuso a permanecer na penúria de meus remorsos. Vou levantar-me e seguir em frente, de modo que outros encontrem força nas minhas ações. Estou trocando meus "se ao menos" por "mesmo agora!" e abraçando a tua visão para meu futuro, em lugar dos arrependimentos de meu passado.

Eu sou forte
PORQUE FIZ REPARAÇÃO DE MEU REMORSO COM PROPÓSITO.

6

UMA MULHER AMADA

"Pois o seu Criador é o seu marido, o Senhor dos Exércitos é o seu nome, o Santo de Israel é seu Redentor; ele é chamado o Deus de toda a terra. O Senhor chamará você de volta como se você fosse uma mulher abandonada e aflita de espírito [...]", diz o seu Deus.

ISAÍAS 54:5,6

A passagem de hoje é uma promessa especial para as mulheres. Deus poderia ter dito: "O seu Criador é seu pai", mas não o fez. Ele se colocou como um marido amoroso, restaurando uma esposa rebelde. Ele descreve a certeza de sua promessa: "Embora os montes sejam sacudidos e as colinas sejam removidas, ainda assim a minha fidelidade para com você não será abalada, nem será removida a minha aliança de paz" (Isaías 54:10). Não importa quão intenso seja o abalo de sua vida, o amor de Deus por você nunca vacilará. Deixe esse assunto resolvido de uma vez por todas em sua mente.

Essa passagem da Escritura não tem ressalvas! Inclui mulheres solteiras, divorciadas, estéreis ou viúvas. Abraça mulheres que se sentem quebradas, inferiores, inadequadas ou distantes demais. Essa promessa abrange todos as faixas etárias. É a voz de Deus falando a suas amadas e preciosas. Ele fala de paz para suas mulheres. Portanto, receba a paz de Deus e deixe que ela acalme qualquer raiva, ansiedade ou medo em seu coração.

Às mulheres é concedida uma oportunidade única. Tudo em nós é criado para servir e nutrir. Mas, muitas vezes, vivemos com medo de desagradar nosso Pai Celeste e nos cansamos de fazer o bem. Tememos que nenhum esforço seja bom o bastante, nenhum sacrifício seja grande o suficiente. Lembre-se, a base não é o que você faz, mas o que foi feito por você. Nenhuma de nós conseguiria viver uma vida suficientemente agradável para satisfazer os estatutos de Deus. Nós devemos ser mulheres segundo o coração dele, mas não o buscaremos se temermos rejeição e ira. Isso cria uma atmosfera repleta de frustração. Deus quer libertar suas filhas desse fardo pesado.

Você é uma mulher pelo desígnio e propósito divinos. Isso é algo a ser celebrado, porque você foi criada de modo assombrosamente maravilhoso — e é inabalavelmente amada.

Senhor Deus, imprime em meu espírito o tipo de mulher que tu gostarias que eu fosse. Eu aceito o teu amor inabalável e tudo o que fizeste por mim. Traz-me para mais perto de ti, para um lugar de paz em minha feminilidade.

Eu sou forte
PORQUE FUI DIVINAMENTE PROJETADA.

7
NÃO UMA CIDADÃ DE SEGUNDA CATEGORIA

"E lhes serei Pai, e vocês serão meus filhos e minhas filhas", diz o Senhor Todo-poderoso.

2CORÍNTIOS 6:18

Quando me tornei cristã e percebi que Deus de fato me amava, foi demais para eu compreender. Em resposta à tão bela misericórdia, eu me lancei a seus cuidados. Nunca sequer pensei em minha feminilidade como um problema.

Então, fui a igrejas e conferências onde ouvi coisas que nublavam a questão do amor do Senhor por mim. De alguma forma, eu começava a ter a impressão de que entrara na redenção como cidadã de segunda categoria do Reino. Agora, veja bem, não creio que alguém tenha dito isso de modo direto, mas, não obstante, era uma propensão oculta: mulheres não eram confiáveis, e mal eram elas resgatadas.

Meu primeiro e confuso encontro aconteceu enquanto eu ainda estava na faculdade. Em uma conferência cristã, após um maravilhoso período de adoração, o pastor iniciou uma oração e chamou sua esposa para a plataforma. Observei enquanto uma graciosa e amável mulher subia em uma plataforma cercada por milhares. Então ele começou uma série de piadas e depreciações, todas tendo ela como alvo. Ela respondeu a algumas em tom de brincadeira. A congregação riu, mas eu me senti enojada. Os golpes dele pareciam cavar um pouco mais fundo que os dela. Era como se ela conhecesse os próprios limites, e ele não os tivesse.

"Vocês sabem onde nós, homens, estaríamos sem as mulheres?", perguntou ele genialmente. Eu esperava que ele dissesse em seguida algo de bom, após todas as depreciações. "Os homens ainda estariam no Jardim." O auditório todo explodiu em gargalhadas. Será que eu fui a única a ficar confusa com o comentário? Eu saíra de um mundo de vergonha para ser ridicularizada em outro? Meu rosto ficou quente e senti lágrimas tentando escapar de meus olhos.

No dia seguinte, em lugar de me juntar ao culto, inventei umas desculpas e me voluntariei no berçário. Era mais confortável crer que Deus me amava enquanto embalava bebês chorando. Enquanto os segurava, eu imaginava que era assim que Deus se sentia a meu respeito. Por dentro eu estava chorando, e ele falava gentilmente comigo. Eu era sua filha; ele era meu Pai. Havia tanta coisa que eu não entendia, mas seu amor era certo.

Por que as mulheres aceitam comentários desagradáveis lançados contra o próprio sexo? É porque têm medo? Não, receio que seja ainda mais profundo. Elas acreditam que seja verdade em algum nível e que, portanto, merecem o abuso. Mas não é assim. Não acredite nisso. Deus não está zangado com as mulheres por serem mulheres. Ele não nos criou como cidadãs de segunda categoria. Ele nos ama como um Pai ama um filho, e seu amor por nós é certo.

Senhor, obrigada por me fazeres mulher. Mostra-me a verdade do meu valor e a verdade do teu amor. Encoraja e capacita tuas filhas hoje.

Eu sou forte
PORQUE SOU FILHA DE DEUS. NÃO SOU UMA SEGUNDA OPÇÃO; SOU SEU PRIMEIRO AMOR.

8
TODO O AMOR DE DEUS

Deus não é homem para que minta.
NÚMEROS 23:19

Muitas mulheres vivem sob a ideia equivocada de que seu destino está em suspenso até que se casem e recebam do homem dos seus sonhos a promessa de amor eterno. Em algum ponto no meio do caminho, esquecemos que somos sonho de Deus. Não precisamos esperar que o amor nos encontre: ele já encontrou. Jesus nos amou primeiro. A questão do "será que somos ou não amadas" deve estar liquidada.

Mesmo assim, por séculos, as filhas de Eva têm clamado aos filhos de Adão: "Dê-me todo seu amor. Proteja-me. Atenda às minhas mais profundas necessidades de segurança." Quando respondem, os filhos de Adão fazem declarações que não podem manter, na esperança de que as filhas de Eva cumpram o desejo que eles não conseguem verbalizar. Ambas as buscas estão fadadas ao fracasso, porque somente Deus pode satisfazer esses desejos profundos em cada um de nós.

Em seu excelente livro, *Coração Selvagem*, John Eldredge partilha da decepção que os homens experimentam quando procuram satisfação no que ele chama de "a Mulher do Cabelo Dourado"*. Ah, mas e as mulheres? Será que nossa esperança não está tão deslocada quanto? Por tempo demais nós buscamos Adão para obter satisfação, mesmo estando ele fadado a nos desapontar. Adão era muito mais que

---

* ELDREDGE, John. *Coração selvagem*. Rio de Janeiro: Thomas Nelson, 2019. p. 125.

um marido para Eva. De certa forma, ele era um tipo de pai, pois ela foi a única mulher nascida de homem. Ela foi enganada pela serpente a pecar, e, então, ficou decepcionada com a escolha de Adão, assim como com a sua própria. Na verdade, nós queremos homens que extraiam suas forças de algo maior que nós.

Não é culpa dos filhos de Adão; eles não conseguem nos dar as bênçãos que buscamos, e nós os amedrontamos, dando-lhes demasiado poder sobre nossa alma. Devemos aprender que as bênçãos de que verdadeiramente precisamos só vêm de Deus. Devemos permitir que Deus nos dê um novo nome, pois não somos mais filhas de Eva, escondidas nas sombras, mas filhas de luz e promessa, noivas do Senhor.

Em nosso relacionamento com os homens, podemos encontrar amor, podemos encontrar companheirismo, podemos encontrar um parceiro para a vida, mas nunca encontraremos um Salvador. Somente Jesus é o Homem que não pode mentir, porque ele é a Verdade. Seu Espírito Santo está mais próximo do que o ar que respiramos. Em Jesus nós somos resgatadas, protegidas, estimadas e feitas completas de maneiras só possíveis Àquele que ama perfeitamente.

Senhor, tu és a Verdade que não pode mentir. Somente tu podes fazer-me completa. Perdoa-me por dar a outro, além de ti, tanto poder sobre minha alma.

Eu sou forte
QUANDO ENCONTRO MINHA COMPLETUDE EM DEUS, E NÃO NOS HOMENS.

9

ANDANDO NA LUZ

Se, porém, andarmos na luz, como ele está na luz, temos comunhão uns com os outros, e o sangue de Jesus, seu Filho, nos purifica de todo pecado.
1JOÃO 1:7

O que significa andar "na luz, como ele está na luz"? Para responder, precisamos olhar para um versículo anterior, 1João 1:5: "Deus é luz; nele não há treva alguma." Deus não apenas anda na luz; ele é Luz. Essa luz não emana de nenhum pretexto externo, mas procede de seu próprio ser. Não há trevas em nenhuma parte dele. Esse é um conceito difícil de imaginar, mais ainda de vislumbrar. Tudo o que vemos é sombreado e ofuscado, de um modo ou de outro. Toda fonte de luz que conhecemos causa sombras. O apóstolo João não se referia a uma fonte de luz que se origina ou brilha fora de nós ou ao nosso redor, mas a uma que procede de nós.

João não falava de luz natural, física, mas da luz do nosso espírito (embora no céu, como com Moisés, ela possa de fato ser fisicamente visível). Nós andamos na luz no presente mundo trevoso e sombrio ao andar em pureza de coração. Removemos áreas de trevas de nossa vida ao permitir que o sangue de Jesus nos purifique. Isso restaura e mantém nossa comunhão com outros cristãos e com Deus. Mas, "se afirmarmos que estamos sem pecado, enganamos a nós mesmos, e a verdade não está em nós" (1João 1:8).

Se tivermos algum tipo de autoconsciência, a maioria de nós jamais afirmaria estar sem pecado. Mas isso pode acontecer sem que percebamos. Quando justificamos, culpamos alguém ou desculpamos nosso comportamento, nós, em essência, afirmamos que não temos falhas. Isso pode ser ouvido em nossas conversas: "Sinto muito. Eu sei que não deveria... mas [insira uma desculpa aqui]!" Para muitas de nós, essa linha de raciocínio é familiar demais. Dizemos alguma forma disso desde a infância. Mas isso não é um pedido de desculpas; é uma maneira de repassar a culpa. Não lamentamos de fato até que assumamos a responsabilidade por nossas ações.

"Sinto muito, mas você me deixou louca!" Essa é uma técnica de jogar a culpa, dizendo que não tivemos escolha. Em 1João 1:8 vemos que, quando seguimos um padrão de afirmar estar sem pecado, enganamos a nós mesmas e "a verdade não está em nós". Uma coisa é ter conhecimento da verdade, e outra bem distinta é vivê-la.

Deus quer mãos limpas e um coração puro. Isso vem por meio de humildade, transparência e honestidade.

Querido Senhor, mostra-me como andar na luz e parar de culpar e inventar desculpas por qualquer padrão trevoso.

Eu sou forte
PORQUE A PRÓPRIA FONTE DE LUZ ME GUIA EM UM CAMINHO DE VERDADE.

Forte nos relacionamentos

NUNCA REJEITADA

Pois a sua ira só dura um instante, mas o seu favor dura a vida toda.
SALMOS 30:5

O que você faz quando sabe que feriu ou aborreceu alguém? Aprendi da maneira mais difícil que, se eu me afastar, evitar a pessoa ou der uma desculpa qualquer, o relacionamento desmorona. Por outro lado, se eu volto meu coração para ela, estendo-lhe a mão e — eis a parte mais difícil — humildemente peço perdão, há uma chance de o relacionamento se curar. Essa é sempre a abordagem correta em nossos relacionamentos, mesmo que não vejamos a resposta correta dos outros. Haverá ocasiões em que as pessoas escolherão não perdoar você, mas saiba disto: Deus jamais fará isso; seu amor e perdão sempre prevalecem. Mesmo quando parece que ele virou o rosto, Deus jamais a rejeitará.

Há ocasiões em que sei que Deus não se agrada de meu comportamento. No exato momento em que sou honesta comigo mesma, arrependo-me e peço a ele perdão, meu coração fica cheio de sua luz e de seu amor. Mesmo quando sei que mereço juízo, o Senhor me banha em sua misericórdia. Ele rapidamente me assegura: "Você é minha. Eu a amo. Acredito que você queira mudar. Já perdoei você. Agora é hora de esquecer." Neste momento, ele quer que você saiba a mesmíssima coisa.

Você é filha dele. Deus pode rejeitar suas ações, palavras ou seu comportamento, mas jamais a rejeitará. Quando você se der conta de que fez algo que desagrada ao Pai, volte-se para ele, e não para longe dele. Distanciar-se ou se esconder prolonga o processo e nos rouba de experimentarmos "o seu favor [que] dura a vida toda". Abra seu coração e receba tanto o amor de Deus quanto a lição a ser aprendida.

Pai, sei que tu me amas demais para deixares de me mostrar quando eu estiver errada. Mostra-me por meio de tua Palavra e de teu Espírito qualquer área de minha vida que precise ser purificada pela tua misericórdia. Eu escolho correr em direção a ti, nunca para longe.

Eu sou forte
PORQUE SEI PARA ONDE VOLTAR--ME QUANDO ESTOU ERRADA.

2

PAZ EM CONFLITO

No que depender de vocês, façam todo o possível para viver em paz com todas as pessoas.
ROMANOS 12:18, NTLH

À s vezes, resolver conflitos é mais fácil de falar do que de fazer. Quando o conflito é entre cristãos, temos, ao menos, o mesmo sistema de referência ou padrão para resolver problemas. Mas, em alguns casos, as pessoas recusam a reconciliação. Então, o que fazer? Eu vivi tempo suficiente para ver isso acontecer algumas vezes. Inadvertidamente, eu ofendera uma amiga e senti que havia uma ruptura entre nós. Consultei meu coração e fui até ela. Perguntei se algo que eu fizera a havia ofendido. Adiantei o fato de que eu percebia que podia ofender sem notar e lhe assegurei que não queria continuar assim. Ela me disse que eu não havia feito nada, contudo a distância medida continuava. Comprei-lhe um presente e deixei um bilhete, pedindo novamente perdão. Não recebi resposta. Fui de novo pessoalmente. Ela me garantiu que não, não havia nada errado, mas, ainda assim, ela permanecia distante. Por fim, fui a uma amiga em comum e perguntei se ela sabia o que eu havia feito para ofender aquela pessoa. Ela não sabia. Despejei a história inteira para ela, na tentativa de entender aquilo. Finalmente, depois de ouvir o negócio todo, ela disse:

— Lisa, você lhe pediu perdão?

— Sim — assegurei-lhe.

— Você foi até ela?

— Sim, várias vezes — disse.

— Se já fez tudo isso e ela ainda não a recebe, você tem de deixar para lá.

Essas palavras me libertaram. Percebi que eu havia obedecido a Romanos 12:18: "No que depender de vocês, façam todo o possível para viver em paz com todas as pessoas" (NTLH). Eu me sentia tão culpada e perdida, pois nem sabia ao certo qual era minha transgressão! A verdade é que era perfeitamente possível que ela não estivesse mais desfrutando de nossa amizade ou que a fase em nossa vida tivesse mudado. Vi alguns amigos entrarem e saírem de minha vida, à medida que Deus realizava uma obra em mim ou neles.

Nossa responsabilidade é orar por reconciliação e perguntar a Deus que papel temos de desempenhar no processo. Se vamos com humildade e amor à pessoa com quem desejamos nos reconciliar e ainda assim somos rejeitadas, talvez seja porque ela ainda não está pronta para responder. Pode doer, mas você nunca é um fracasso se obedecer à Palavra de Deus.

Querido Deus, por favor, dá-me força para ser uma reconciliadora em meus relacionamentos e sabedoria para entender quando a reação dos outros está fora de meu controle. No que depender de mim, ajuda-me a trazer a paz.

Eu sou forte
PORQUE VIVO EM PAZ COM OS OUTROS E COM DEUS.

3

AFETOS E DIREÇÃO

Protege-me, ó Deus, pois em ti me refugio. Ao Senhor *declaro: "Tu és o meu Senhor; não tenho bem nenhum além de ti" [...] Sempre tenho o* Senhor *diante de mim. Com ele à minha direita, não serei abalado. Por isso o meu coração se alegra e no íntimo exulto; mesmo o meu corpo repousará tranquilo.*

SALMOS 16:1,2,8,9

Seus afetos vão direcionar suas decisões. Seus afetos terão influência, no final das contas, em todas as áreas de sua vida. Para aquelas de nós que procuramos fazer de Deus o centro de nossas afeições, a pergunta se torna: "Como ponho meu coração em um Deus que não consigo ver?"

Se quer saber como fazer algo, você conversa com alguém que já aprendeu a fazê-lo bem. O rei Davi sabia como buscar a Deus e se manter apaixonado por ele. Esse homem mergulhou em Deus como nenhum outro antes dele. Davi jamais duvidou do amor ou da fidelidade de Deus, e vivia em constante resposta e gratidão a ele.

No versículo de hoje, ele coloca o Senhor diante de si, trazendo as declarações de seu coração por meio de suas palavras. Nosso coração sempre é revelado pelas palavras que falamos, seja em oração, seja em conflito, seja em conversa. Por outro lado, o coração também é transformado pelas palavras que falamos. Nesse salmo, Davi traz algumas verdades poderosas das quais precisamos apossar-nos:

1. Faça de Deus seu refúgio... Nem reis conseguem proteger a si mesmos.
2. Torne isso pessoal... Chame-o de seu Senhor.

3. Diga-lhe que não há nada que você deseje mais do que ele.
4. Coloque-o permanentemente diante de si.
5. Dê-lhe preeminência e honre-o com sua vida.
6. Siga-o em tudo o que você fizer.
7. Posicione-se pelo Senhor, porque ele está no comando.
8. Relaxe e se alegre, pois você não está mais no comando.
9. Descanse nele por causa dessas verdades poderosas.

Enquanto fazemos declarações de amor e de aliança com Deus, os laços entre nós são fortalecidos. Nós entramos em relacionamentos e temos a capacidade de expandir todos eles em nossa vida por meio de nossas palavras e ações correspondentes. As palavras podem curar e limpar os espaços sagrados de nossa vida, bem como ferir nosso ser mais íntimo.

Para educar seu coração em Deus, escolha suas palavras da mesma maneira que escolhe seus amigos: sabiamente. Podem ser poucas, mas são preciosas. Busque a Deus com as palavras de sua boca, então, como Davi, você verá crescer sua paixão por ele.

Querido Senhor, quero conhecer-te, buscar-te tão apaixonada e intencionalmente quanto eu faria com o relacionamento humano mais precioso para mim. Ao abrir a boca em oração, que cresça minha afeição por ti.

Eu sou forte

PORQUE MINHAS PALAVRAS SÃO IMPREGNADAS DO AMOR DO DEUS ALTÍSSIMO.

4

SEGURA E PROTEGIDA

O Senhor é refúgio para os oprimidos, uma torre segura na hora da adversidade.
SALMOS 9:9

Abuso sexual e abuso físico estão em um nível epidêmico. Como meu Pai quer que eu seja tratada?

Essa é uma pergunta muito importante a ser feita quando se trata de relacionamento com pessoas que têm acesso íntimo a nós. Essas pessoas vão de médico ou professor a familiares e amigos. Pode ser alguém tão próximo quanto um namorado ou tão íntimo quanto um marido. Mas, por favor, ouça-me: se você está sendo abusada ou comprometida de alguma forma, não é amoroso nem saudável que você permaneça em silêncio. Não fique em um relacionamento com alguém que use você ou abuse de você. Assim como pais saudáveis e piedosos protegem as filhas, a sua segurança é muito importante para o seu Pai Celeste.

Seu Pai Celeste jamais ia querer que você fosse violada. Ele quer que você seja protegida e cuidada. Não seja intimidada por outras pessoas ou mesmo por suas próprias escolhas ruins. O Senhor estará perto para lhe dar cobertura enquanto você se posiciona. Nunca sequer imagine que ele faria comentários como: "Você pediu por isso ficando aí", ou: "Você trouxe isso para si mesma." Ele jamais diria essas coisas! Ele falaria: "Saia daí, volte para casa e fique segura!" Você tem todo o direito de usar sua voz para expor abusos às autoridades competentes.

Isso se aplica a relacionamentos românticos, amizades, associações de negócios ou a qualquer pessoa com quem você tenha vínculos estreitos. Lucas nos diz:

"Orem por aqueles que os maltratam", mas a oração é igualmente poderosa a distância (Lucas 6:28). Paulo nos diz: "No que depender de vocês, façam todo o possível para viver em paz com todas as pessoas" (Romanos 12:18, NTLH). A expressão "no que depender de vocês" implica que, até certo ponto, depende dos outros. Você tem tanto o direito quanto a capacidade de se posicionar e manter uma distância saudável daqueles que lhe causam dano. Se estiver envolvida com alguém que a controle e achar que não consegue fazer resistência face a face, então recuse encontrar-se pessoalmente com essa pessoa. E, com toda a certeza, você jamais precisa tolerar abusos sexuais ou físicos — sob nenhuma circunstância.

Criar espaço entre você e alguém que a prejudicou não apenas a protege, mas também permite que essa pessoa saiba que esse comportamento é inaceitável e que precisa ser tratado. Você pode perdoar alguém sem lhe dar futuro acesso a você ou a sua vida. Perdoar essa pessoa protegerá a saúde de sua alma, que Deus valoriza muitíssimo.

Você é uma filha amada de Deus. Saiba como ele gostaria que você fosse tratada.

Jesus, dá-me tua força e sabedoria para lidar com qualquer relacionamento tóxico em minha vida. Eu confio que tu te posicionas comigo.

Eu sou forte
QUANDO ESTABELEÇO LIMITES EM
RELACIONAMENTOS ABUSIVOS
OU PREJUDICIAIS.

5
SÁBIA NA AMIZADE

Melhor é a repreensão franca do que o amor encoberto. Leais são as feridas feitas pelo amigo, mas os beijos do inimigo são enganosos.
PROVÉRBIOS 27:5,6, ACF

A amizade pode ter um efeito poderoso sobre nós. Verdadeiras amigas nos falam a verdade, transmitindo palavras que podem ferir nosso orgulho, mas que, em última instância, acabam por curar-nos. Amigas confiáveis nos dirão o que precisamos ouvir, e não o que queremos ouvir. Por outro lado, somos alertadas de que "as más companhias corrompem os bons costumes" (1Coríntios 15:33). É sábio cercar-se de pessoas em quem você se espelhe, e não daquelas com quem você não gostaria de se parecer.

Eis algumas reflexões sobre como mulheres fortes escolhem amigas:

Em primeiro lugar, certifique-se de que suas amigas estão a seu favor e não contra você. Vocês se reúnem mais frequentemente para reclamar? Ao deixar a companhia delas, você se sente exausta, esgotada ou com raiva? Lute para encontrar amigas que invistam em seu crescimento — e seja você mesma esse tipo de amiga.

Em segundo lugar, você quer uma amiga que a desafie a crescer e que a ajude a se focar em quem você quer ser. "Assim como o ferro afia o ferro, o homem afia o seu companheiro", diz a Escritura, em Provérbios 27:17. Você quer ter e ser uma amiga que fala a verdade em amor, e não que bajula, mima ou diz o que as outras querem ouvir. A discordância pode ser saudável, e "as feridas feitas [por esse tipo de] amigo" são leais, confiáveis.

Seja paciente. Confiança leva tempo. Amizade leva tempo. Intimidade não é a mesma coisa que compartilhar coisas demais. O mero fato de você saber mais do que deveria sobre alguém, ou alguém saber de você, não significa, de fato, que você conheça essa pessoa. Tenho visto amizades que surgem instantaneamente e desaparecem com a mesma rapidez. Como qualquer coisa de valor, amizades saudáveis requerem trabalho. Aprendi que só sei se a amiga que tenho é real ou falsa quando navegamos em um conflito.

A mídia social não é realmente projetada para construir amizades; ela constrói contatos. Assim sendo, seja cuidadosa e intencional ao escolher suas amizades. Ore e peça a seu Pai o tipo certo de amigas para esta fase da vida. Ele pode revelar a diferença entre uma "aminimiga" e alguém que esteja seguindo na direção que você deseja seguir. Se houver alguém que a menospreze, traia ou deixe você de fora, pergunte a si mesma por que ainda são amigas. Verifique seus motivos. Você está presa em um padrão doentio? É porque você quer ser popular? Ore para discernir a vontade de Deus por meio do Espírito Santo.

Podemos ser gentis, amigáveis e nos dar bem com várias pessoas de tudo quanto é tipo. Mas, quanto àquelas que você aproxima de si e nas quais investe, certifique-se de que, dos dois lados, vocês falem a verdade em amor.

Deus, sei que é tua vontade que eu esteja em comunidade e cresça em e por meio de amizade. Ajuda-me a escolher sabiamente com quem gastar meu tempo.

Eu sou forte
QUANDO SOU AMIGA DAQUELAS QUE ESTÃO CRESCENDO COMIGO.

6

O DEUS DA JUSTIÇA

*O primeiro a apresentar a sua causa parece ter razão,
até que outro venha à frente e o questione.*
PROVÉRBIOS 18:17

Sempre que houver mais de uma pessoa em uma sala, em uma conversa ou em uma mídia social, há potencial para conflito. Com demasiada frequência, as pessoas em ambos os lados da discussão batem o pé e se recusam a ouvir, porque acreditam que elas é que estão certas.

Quando estavam sob a escravidão egípcia, os filhos de Israel viam conflitos sendo resolvidos na base da violência e da intimidação. Em sua nova fase, de liberdade, eles precisavam de um modelo saudável de resolução de conflitos.

Eles haviam trocado a vida de escravidão na terra do Egito por uma vida sob a nuvem e a proteção da presença de Deus. Isso significava passar do domínio dos ídolos de pedra e das imagens cegas para um Deus vivo, que é santo e justo, amoroso e temível. Esse Deus de fogo e amor não se parecia em nada com os deuses egípcios, que eram apaziguados com ofertas. O Santo de Israel devia ser servido em espírito e verdade. E a própria razão para o governo divino era a justiça. "O Senhor reina para sempre; estabeleceu o seu trono para julgar" (Salmos 9:7).

Quando somos tratadas injustamente, podemos confiar que, no final, a justiça será feita. Entremeado profundamente dentro de cada uma de nós, há um anseio desesperado por justiça, mas, se formos honestas, nós julgamos mal. Com muitas pessoas e circunstâncias eu já tive a certeza de que estava certa, até ouvir o outro lado da história. Esse é exatamente o motivo da advertência de Paulo em 1Coríntios 4:5: "Portanto, não julguem nada antes da hora devida; esperem até que o Senhor venha. Ele trará à luz o que está oculto nas trevas e manifestará as intenções dos corações. Nessa ocasião, cada um receberá de Deus a sua aprovação."

Nós podemos buscar a sabedoria do Senhor em nossos conflitos e ficar aliviadas que, em última instância, cabe a ele julgar — e salvar. Andando sob a liderança dele, podemos responder em retidão e em misericórdia, sem ter a responsabilidade de aplicar castigo, vingar ou impor o cumprimento da lei. Podemos orar a Deus e vê-lo agir e aconselhar. Afinal, ele é um Conselheiro que está sempre conosco.

Senhor, obrigada porque a pressão diminuiu; eu posso confiar em ti e me curvar perante tua liderança em tempos de conflito.

Eu sou forte
QUANDO CONFIO AO DEUS DA JUSTIÇA O MEU CONFLITO.

7
À PROVA DE FOFOCAS

O homem que não tem juízo ridiculariza o seu próximo, mas o que tem entendimento refreia a língua. Quem muito fala trai a confidência, mas quem merece confiança guarda o segredo.
PROVÉRBIOS 11:12,13

Todas nós já passamos por isto: você está tendo uma boa conversa, quando alguém no meio começa a fofocar. Você olha em volta, para o grupo, na esperança de que alguém ponha um fim naquilo. Mas, quanto mais ouve, mais desconfortável se sente para confrontar. Você se convence de que pode lidar com o que está ouvindo; afinal, você é madura e sábia... vai conseguir manter-se imparcial. O que não percebe na hora é que sua visão ficou nublada. A próxima vez que vir a pessoa objeto da fofoca, vai ser esquisito. Ou, da próxima vez que simplesmente ouvir o nome dela, sentirá pressão para julgar-lhe não apenas as ações, mas as motivações. É um desafio a nós mesmas evitar de fofocar, mas o mero ouvir fofocas já nos estraga (Provérbios 17:4). Essa é uma dinâmica diária muito real com que temos de lidar nas mídias sociais.

Seria de muita ajuda entendermos primeiro o que uma fofoca faz, se quisermos evitar fazer parte dela. O dicionário Merriam-Webster define fofoqueiro como "uma pessoa que costuma revelar fatos pessoais ou sensacionalistas a respeito de outros". A fofoca está no hábito de compartilhar informações íntimas com pessoas que não estão diretamente envolvidas na situação. Todo mundo fofocou em algum momento da história. Mas os fofoqueiros fazem isso sem nem pensar. A experiência ensinou-me que o motivo deles pode ser tão inocente quanto querer sentir-se pertinente e importante, ou tão sombrio quanto querer destruir a reputação de alguém.

A fofoca envenena os relacionamentos e distorce a verdade. É sempre uma traição de confiança. Um segredo, um incidente, um conflito que poderia ter sido ocultado é repetido para o ganho de outro. Uma pessoa é vendida para que outra possa obter segurança, posição ou influência. As pessoas fofocam para ganhar *status*, chamar atenção, divertir-se ou se sentir melhor. Outras fofocam para punir ou colocar alguém no devido lugar, julgando-o com suas palavras.

Esse não é nosso lugar. O Espírito Santo faz sensível nosso coração para que, se falamos de alguém, nos sintamos examinadas. Se o inimigo souber que você vigia o que diz, ele pode tentar enganá-la com o que você assiste, lê ou ouve. Não deixe que ele o faça. Guardar-se de fofocas é uma parte muitíssimo importante de guardar seu coração. Ao se comprometer a afastar-se desse tipo de conversa, incline-se para o Espírito a fim de obter sabedoria sobre como lidar com essas situações. Algumas vezes, é melhor simplesmente se levantar e ir embora. Você não quer que sua boca a leve por aquele caminho sombrio. Não permita que ninguém fale mal das pessoas próximas a você. Em vez disso, ore, ame e, quando necessário, confronte.

Senhor, põe guarda sobre minha boca e ouvidos, para que eu não estrague meu coração. Ensina-me a manter minha posição de forma gentil, mas firme, a editar minha vida e a responder ao exame em meu espírito.

Eu sou forte
QUANDO FALO PALAVRAS DE VIDA EM VEZ DE ALGUMA FORMA DE FOFOCA.

8

VIDA EM HARMONIA

Tenham uma mesma atitude uns para com os outros. Não sejam orgulhosos, mas estejam dispostos a associar-se a pessoas de posição inferior. Não sejam sábios aos seus próprios olhos. Não retribuam a ninguém mal por mal. Procurem fazer o que é correto aos olhos de todos.
ROMANOS 12:16,17

Viver em harmonia ou em paz uns com os outros é viver de uma maneira que seja compatível, sintonizada e em amizade com os outros no corpo de Cristo. Esse encargo de viver em harmonia aplica-se tanto dentro quanto fora das paredes da igreja. É fácil deixar de lado qualquer distinção que possamos imaginar ter, porque em Cristo somos todos um. Quando entendermos isso, vamos encontrar amizade em pessoas inesperadas no culto a Deus — não importa onde elas se encontrem por circunstância da fase da vida que enfrentam. O versículo de hoje nos adverte que o orgulho e a presunção nos levarão a viver em desarmonia com os outros. Uma das razões é o fato de a vaidade nos fazer pensar que temos o direito de retribuir mal com mal, que é o oposto do que as Escrituras nos encorajam a fazer. Lembre-se, em Cristo nós devemos abraçar a natureza de servo. Isso significa que vivemos como exemplos do que é certo, fazendo o que é certo.

Ao colocar de lado a arrogância e o orgulho, nós damos a outra face quando recebemos um tapa, damos o casaco quando nos pedem a camisa e andamos a segunda milha. Somos exortadas a percorrer grandes distâncias para fazer o que é certo em prol de outros e, no que nos concerne, a viver em paz com todos. Isso significa desenvolver uma confiança como de criança em nosso Pai. Somente ele conhece todos os lados — todas as linhas de todas as páginas da história. Ele é o autor fiel e verdadeiro.

Vivemos numa época em que a tensão é muito alta, e, contudo, as pessoas ainda respondem à bondade. À medida que atravesso meu dia, fico à procura de pessoas a serem notadas. Eu as elogio, ajudo ou simplesmente as cumprimento. Muitas pessoas estão movendo-se rapidamente pela vida com fones de ouvido e olhos que desviam. Desafio você a ser forte e se arriscar na bondade. Negar a existência de tensão racial ou orgulho financeiro não ajuda a curá-los. Sejamos proativas. Ore a fim de que toda e qualquer área de preconceito que possa estar oculta em seu coração seja exposta. Se você encontrar alguma, trate dela e se arrependa. Ponha de lado todo bloqueio de visão gerado pelo orgulho, que a encoraje a justificá-lo ou a inventar desculpas, e vista o manto de humildade.

Pai, expõe todas as áreas de orgulho e preconceito em minha vida, para que eu possa viver em paz e harmonia com os outros.

Eu sou forte
QUANDO VIVO EM HARMONIA COM OS OUTROS.

9

CRESCENDO EM UMA COMUNIDADE PIEDOSA

Vocês serão meus amigos, se fizerem o que eu lhes ordeno.
JOÃO 15:14

Amigas de Cristo serão verdadeiras amigas para você. Elas falam bem porque vivem bem. "Vocês serão meus amigos, se fizerem o que eu lhes ordeno" (João 15:14). Jesus é claro aqui. As amigas dele guardam seus mandamentos e incentivam outras a fazer o mesmo. Elas não guardam os mandamentos para provar seu amor por ele, mas, sim, porque o amam.

As verdadeiras amigas sempre vão colocá-la para cima e desafiá-la a andar de modo agradável ao nosso Senhor. Elas vão querer passar tempo com você e se preocuparão com seu crescimento. Elas vão rir e chorar com você. As fases da vida podem separá-las, mas, por serem amigas do coração, quando vocês voltarem a se encontrar, será como se o tempo não houvesse sido perdido. As verdadeiras amigas não terão medo de que você cresça, seja favorecida ou realize coisas; antes, elas celebrarão com você como se fosse com elas. Todas nós precisamos de uma tribo de mulheres atrás, ao lado e à nossa frente. Esses princípios são tão verdadeiros quando se é jovem como quando se é velha.

"Um homem sozinho pode ser vencido, mas dois conseguem defender-se. Um cordão de três dobras não se rompe com facilidade" (Eclesiastes 4:12). Amigas lutam com você e por você em oração, intercedendo e dando-lhe forças que você talvez não tenha por conta própria. Algo poderoso acontece quando amigas se reúnem em nome de Jesus. Ele disse: "Pois onde se reunirem dois ou três em meu nome, ali eu estou no meio deles" (Mateus 18:20). Essa é uma bênção incrível para esse tipo indispensável de amizade.

Amigas pesquisam as Escrituras juntas e ficam maravilhadas com o poder do Espírito Santo umas nas outras. Sinta-se encorajada: Deus está fazendo um belo e profundo trabalho em suas filhas aqui na terra.

Há momentos em que amigas discordam, mas isso não significa que devem debandar. Protegemos e cobrimos umas as outras porque fomos criadas para crescer em comunidade. Crescimento sempre significa que haverá erros e percalços, mas, quando estamos comprometidas umas com as outras, nossa expectativa é pelo melhor, em vez de esperarmos pelo pior.

Se você não tem esse tipo de relacionamento em sua vida, procure construí-lo daqui para frente. Ore e peça a Deus orientação e novas maneiras de criar um vínculo divino. Pode parecer assustador no começo, porque algumas pessoas não querem esse nível de comprometimento. Arrisque-se e estenda a mão. Quer seja para unir-se em oração, quer seja para estudar, quer seja para desfrutar da companhia uma da outra, o tempo com essas mulheres é algo de que você simplesmente não pode prescindir.

Jesus, eu quero ser uma amiga de verdade e ter amizades de verdade. Mostra-me onde e como construir isso.

Eu sou forte
QUANDO PERMANEÇO UNIDA ÀS MINHAS IRMÃS EM CRISTO.

Forte na batalha

1

DE SENTINELA E EM GUARDA

Estejam alertas e vigiem. O Diabo, o inimigo de vocês, anda ao redor como leão, rugindo e procurando a quem possa devorar.
1PEDRO 5:8

Nosso inimigo está à espreita, esperando pegar-nos sonolentas e desapercebidas. Uma outra tradução usa as palavras *sóbrios* e *vigilantes* (ARA). O oposto de sóbrio é bêbado. Os bêbados ficam desapercebidos do que realmente acontece ao seu redor. Suas percepções e perspectivas são confusas, o que diminui seu tempo de resposta e lhes distorce o raciocínio. Estar vigilante e alerta é estar de sentinela e em guarda, acordado e atento.

O versículo em 1Pedro compara o Diabo a um leão rugindo, procurando presas fáceis de devorar. Ele não nos consome literalmente; devora-nos de outras maneiras mais sutis. Embora sejam menos óbvias, não são menos perigosas. Ele devora nossa alegria e paz, nosso descanso e nossa força, bem como ataca nossa saúde, nossos relacionamentos e pensamentos. Ele ruge acusações para criar um barulho de confusão. Creio que Deus tenha usado a aterradora imagem de um leão faminto para ilustrar a determinação e a persistência da busca de Satanás. Ele facilmente capta o cheiro de ofensa e amargura, tão certo quanto um leão detecta sua presa.

Os leões são atraídos por sangue, e isso vem de nossas feridas. Não devemos deixar que nossas feridas continuem sangrando, ignorando a dor e cobrindo-as superficialmente. Parte de estar alerta e vigilante significa trazer nossas feridas ao Pai para a cura. Ele vai atá-las e vai curar-nos pelo poder do seu Espírito Santo. Sejamos vigilantes, mesmo com aquelas feridas que parecem pequenas e não ameaçadoras. Quando as flagramos cedo, conseguimos manter nossa perspectiva e nosso raciocínio para a vigília da noite.

Pai, mantém-me sábia para a atividade de espreita do inimigo. Ajuda-me a diligentemente trazer minhas feridas a ti, a fim de poderes curá-las. Protege-me, cura-me e ensina-me a ter autocontrole e a estar alerta enquanto luto.

Eu sou forte
QUANDO SOU VIGILANTE, TOMANDO CUIDADO COM QUALQUER COISA IMPRÓPRIA.

2
PAZ ENTRE OS SEXOS

Porei inimizade entre você e a mulher, entre a sua descendência e o descendente dela; este lhe ferirá a cabeça, e você lhe ferirá o calcanhar.
GÊNESIS 3:15

Parece que, para onde quer que olhemos, vemos uma batalha entre homens e mulheres. Homens zangados emasculados e mulheres feridas e zangadas culpam-se uns aos outros por sua dor, e um fica querendo que o outro acerte as coisas. Mas nem homens nem mulheres podem curar esses pontos... Somente Deus pode restaurar-nos novamente ao jardim de nossos sonhos.

Desde que a serpente fez de Eva seu alvo no Jardim, a batalha profetizada entre a mulher e a serpente ainda assola (Gênesis 3:15). Filhas de Deus, ouçam: os filhos terrenos de Adão não podem salvar vocês dessa serpente... Será preciso um Príncipe celeste. O objetivo da serpente sempre foi o mesmo: despojar as filhas de Eva de sua dignidade, força e honra e, ao fazê-lo, deixá-las impotentes. E, quando as mulheres são despojadas de sua dignidade e degradadas, os homens também ficam envergonhados, pois a mulher é a glória do homem (1Coríntios 11:7).

Quero que tenha a coragem de ver essa luta como o que realmente é: você está sendo despojada de seu poder, de sua dignidade e de suas vestes por uma serpente! Você precisa ver isso e ficar indignada, pois só então será brava o bastante para lutar contra seu verdadeiro inimigo e entregar lealdade total ao fiel e verdadeiro Rei. Aí, então, você encontrará vestes para cobrir sua nudez com esplendor. Chegará à conclusão de que não é contra os homens ou nosso marido que lutamos, mas contra o inimigo de nossa alma. Nós devemos despertar do pesadelo e começar a clamar pela restauração do sonho.

É desse profundo clamor em sua alma que eu falo. Você anseia por amor, intimidade e comunhão mais profundos do que um homem pode trazer-lhe. Anseia por um refúgio mais seguro do que os encontrados na terra. Clama pelo amor de um Príncipe celeste. E tenho um segredo para lhe contar, acredite ou não: ele anseia desesperadamente por você também. Foi ele que plantou essa semente de desejo nos recônditos de seu coração, e somente ele pode satisfazer seus anseios.

Seremos continuamente frustradas em nossa busca por preenchimento se continuarmos a procurar em todos os lugares errados. Os homens não são seu problema, nem são sua resposta! Precisamos erguer os olhos em direção ao céu, pois nossa ajuda vem do Senhor, o Criador dos céus e da terra (Salmos 121:1,2). Somente então e ali encontraremos nossa fonte de alegria e recuperaremos nossa força e honra.

Pai, quando eu estiver tentada a lutar contra os inimigos errados ou a procurar preenchimento nos lugares errados, lembra-me de olhar para ti. Tu és meu Redentor, a fonte de minha alegria!

Eu sou forte
QUANDO PROMOVO A PAZ ENTRE OS FILHOS E AS FILHAS DE DEUS.

3
A BATALHA DA FALTA DE PERDÃO

[...] um rei [...] desejava acertar contas com seus servos. Quando começou o acerto, foi trazido à sua presença um que lhe devia uma enorme quantidade de prata. Como não tinha condições de pagar, o senhor ordenou que ele, sua mulher, seus filhos e tudo o que ele possuía fossem vendidos para pagar a dívida. O servo prostrou-se diante dele e lhe implorou: "Tem paciência comigo, e eu te pagarei tudo." O senhor daquele servo teve compaixão dele, cancelou a dívida e o deixou ir.

MATEUS 18:23-27

O perdão é um ato de cura. Ele nos livra da amargura e nos liberta da culpa. Mas perdão também é um elemento-chave na guerra espiritual. A verdadeira batalha não é contra quem feriu você, mas contra o eterno inimigo de sua alma. Quando perdoamos, nós despojamos o inimigo de uma de suas armas, porque aqueles que vivem na falta de perdão estão suscetíveis ao ataque.

A passagem de hoje nos dá uma visão mais profunda dos recantos sombrios da falta de perdão. Coloque-se nos calçados do servo. Imagine o terror de ser apresentada diante do Rei para liquidar uma dívida que você não pode pagar. Totalmente desamparada e sem esperança, você se prostra e lhe implora que tenha paciência, que de alguma forma e em algum momento você pagará tudo de volta. Mas, em vez de concordar com os seus termos, o rei tem misericórdia. Sabendo que você jamais poderia pagá-lo, ele anula a dívida inteira. O seu fardo insuportável foi retirado! Você está coberta com a bondade do rei.

Em lugar de seguir o exemplo de misericórdia do rei, você se lembra de que existem aqueles que lhe devem. Assim, você os encontra e exige que paguem as dívidas — apesar de estarem tão desesperançados para pagar quanto você estava antes (Mateus 18:28-31). Na parábola de Mateus, o servo perdoado faz exatamente isso; quando o Rei descobre, declara: "Servo mau, cancelei toda a sua dívida porque você me implorou. Você não devia ter tido misericórdia do seu conservo como eu tive de você?" (Mateus 18:32,33).

Na parábola, o Rei é nosso Pai Celeste, nós somos o servo, nossos irmãos e irmãs cristãos são os conservos — e o inimigo de nossa alma fica feliz em desempenhar o papel de torturador. Quando nós não perdoamos, aprisionamos outros nas cadeias de culpa e condenação e somos, em contrapartida, entregues aos torturadores para pagar o que sabemos que jamais conseguiremos. Creio que isso descreva uma espécie de inferno na terra. Todos nós conhecemos pessoas atormentadas pelas mesmas coisas que se recusaram a perdoar nos outros. Quando nos comportamos dessa maneira, acabamos fazendo o trabalho do inimigo por ele. Está na hora de removermos as correntes uns dos outros.

Senhor, revela quem eu aprisionei com minha falta de perdão.
Eu escolho liberá-lo assim como tu me liberaste.

Eu sou forte
QUANDO PERDOO COMO FUI PERDOADA PELO REI.

4
SEU REFÚGIO

Ele dará ordens a seus anjos a seu respeito, para o guardarem.
LUCAS 4:10

Costumo esquecer que tenho proteção angelical, mas não devia. Eu amo as imagens que Davi nos dá nos salmos: "Misericórdia, ó Deus; misericórdia, pois em ti a minha alma se refugia. Eu me refugiarei à sombra das tuas asas, até que passe o perigo" (Salmos 57:1).

Deus é nossa proteção. Aprendi há muito tempo que minha capacidade de me proteger era muito limitada. Deus é aquele a quem deveríamos correr. Desligue o telefone quando for falsamente acusada, caluniada ou simplesmente mentirem sobre você; feche seu *laptop* e corra para o refúgio das asas divinas. Eu faço isso me fechando em um quarto, ligando a música e adorando. A adoração é sempre uma ótima resposta quando você não sabe o que fazer. Quando estiver sobrecarregada com a vida, quaisquer que sejam as circunstâncias, você pode encontrar um abrigo à sua espera na presença do Senhor.

Não permita que o inimigo prenda você na armadilha de se defender ou na tentativa de se proteger; você fracassará. Deus nos convida a nos escondermos nele até que a tempestade passe e possamos ver claramente.

Todos os refúgios menores estão fora da sombra das asas do Senhor. Vingança e raiva nunca são refúgios, apesar de mentirem e dizerem que o são. Esses falsos abrigos devem ser colocados de lado, a fim de entrarmos na presença de Deus. Defensividade e autoconfiança são, de fato, abrigos fracos comparados ao Senhor.

Fugir, automedicar-se ou ignorar são apenas meios temporários de suspender a sentença, e todos os conselhos, autoajuda ou "soluções comprovadas" do mundo inteiro não se comparam a ele.

Assim, quando sentir que as calamidades estão prestes a varrê-la e achar-se emboscada por todos os lados, anime-se. Deus está prestes a aparecer e fazer o que você não consegue. Ele não apenas instrui os anjos a seu respeito, mas também se faz disponível. Quando o inimigo se enfurecer, temos esta garantia em Deuteronômio 3:22: "Não tenham medo deles. O Senhor, o seu Deus, é quem lutará por vocês."

Quando a batalha for grande demais para você, aproxime-se dele.

Senhor, tu és minha proteção. Eu me aproximarei e adorarei, confiando que tu lutarás em meu favor quando eu estiver sobrecarregada.

Eu sou forte
PORQUE ESTOU SEGURA E PROTEGIDA À SOMBRA DAS ASAS DE DEUS.

5
ESTAMOS EM UMA BATALHA

Pois a nossa luta não é contra seres humanos, mas contra os poderes e autoridades, contra os dominadores deste mundo de trevas, contra as forças espirituais do mal nas regiões celestiais.
EFÉSIOS 6:12

O inimigo tenta fazer-nos pensar que lutamos com as pessoas que vemos, em vez de com as forças invisíveis das trevas. Paulo não nos diz isso para nos apavorar, mas para nos fazer apercebidas do que realmente está acontecendo. Existe um reino inteiro de trevas contra o qual jamais conseguiríamos lutar com nossas próprias forças. Paulo continua: "Por isso, vistam toda a armadura de Deus, para que possam resistir no dia mau e permanecer inabaláveis, depois de terem feito tudo" (Efésios 6:13).

Deus já providenciou tudo de que precisamos para resistir. O fato de Paulo repetir essa cobrança de vestir a armadura me faz pensar que ele não quer que sejamos casuais com nossas armas. Ele não quer que imaginemos poder sair semivestidas e desarmadas e ainda ter forças para resistir. O que significa permanecer inabalável? É adotar uma postura de determinação que se nega a recuar. Paulo continua: "Assim, mantenham-se firmes, cingindo-se com o cinto da verdade, vestindo a couraça da justiça e tendo os pés calçados com a prontidão do evangelho da paz" (Efésios 6:14,15).

Permanecemos com nosso cerne envolto na verdade, nosso coração e os órgãos vitais escondidos atrás da retidão de Cristo e nossos pés preparados com um evangelho de paz. Vivemos em um mundo desesperado por paz. Verdade e retidão são precursoras da paz. Fazer concessões com a verdade nos leva a perder terreno e a ser menos do que somos. Nós somos fortes quando lutamos a partir de um lugar de paz. Em Cristo, a paz se torna um meio de acalmar tempestades, curar corações e restaurar almas.

Pai Celeste, ensina-me a lutar a partir desse lugar de paz em ti. Enquanto leio tua Palavra, una a verdade à minha alma, para eu não faça concessões.

Eu sou forte
QUANDO ME FIRMO SOBRE VERDADE, RETIDÃO E PAZ.

6

ESCUDOS E FLECHAS

Além disso, usem o escudo da fé, com o qual vocês poderão apagar todas as setas inflamadas do Maligno.
EFÉSIOS 6:16

Foi-nos dado um escudo que nos protege de todas as setas inflamadas que o Maligno aponta para nós. Paulo chama isso de escudo da fé. Hebreus 11:1 nos diz: "Ora, a fé é a certeza daquilo que esperamos e a prova das coisas que não vemos." Certamente não conseguimos ver essa fé nos escudando, mas podemos desenvolvê-la. A fé vem por ouvir e estudar a Palavra de Deus. Eu imagino a fé como um campo de força. Quanto mais nossa fé cresce, mais somos escudadas, protegidas. A fé pode começar com o que recebemos, mas deve sempre crescer para o que podemos dar.

"Usem o capacete da salvação e a espada do Espírito, que é a palavra de Deus" (Efésios 6:17). A salvação é o capacete que cobre nossa mente. Várias vezes, quando eu era recém-salva, um pensamento terrível assaltava minha mente. Eu recuava horrorizada, imaginando de onde aquilo tinha vindo. Depois que fui salva, comecei a reconhecer os pensamentos que não eram meus. A salvação traz paz à nossa mente, e, quando um pensamento perturbador ou atormentador ataca, pegamos nossa espada! A Palavra de Deus é nossa espada do Espírito. Como Jesus fez quando foi tentado pelo Diabo, nós falamos ao inimigo de nossa alma o que está escrito. Quando ele ataca nossa paz, reagimos com a promessa de Deus em Isaías 26:3: "Tu, Senhor, guardarás em perfeita paz aquele cujo propósito está firme, porque em ti confia."

Pai Celeste, obrigada pelo dom da fé, que me protege da investida do inimigo, pela paz em minha mente e pela espada do teu Espírito em minhas mãos.

Eu sou forte
QUANDO CRESÇO NA FÉ LENDO,
FALANDO E VIVENDO A PALAVRA.

7

A VERDADEIRA GUERRA

Pois, embora vivamos como homens, não lutamos segundo os padrões humanos.
2CORÍNTIOS 10:3

Nós vivemos na terra, mas não podemos guerrear de acordo com os padrões daqui. A questão não é se vamos lutar, mas como vamos travar a guerra. Essa diferença é mais bem capturada em nosso motivo ou em nosso "porquê" por detrás da luta. Devemos sempre lutar *a favor de*, e não apenas contra algo. Também sabemos uma verdade muito mais profunda do que aqueles que fazem guerra de acordo com este mundo: as pessoas nunca são nosso verdadeiro inimigo. Sei que há momentos em que essa verdade parece mentira. Cada uma de nós pode nomear pessoas que nos feriram. Mas Deus ama seu povo. Eles são os que Jesus veio salvar, por isso jamais devemos lutar contra eles. Nós lutamos para libertar os cativos, não lutamos contra os cativos. Atacamos a fortaleza que os prende, e não o preso. Eis a razão: "As armas com as quais lutamos não são humanas; ao contrário, são poderosas em Deus para destruir fortalezas" (2Coríntios 10:4).

Foram-nos confiadas armas divinamente poderosas, que são contrárias às armas deste mundo. Por serem mais poderosas, devemos ser ainda mais cuidadosas. Jamais esqueça que as próprias palavras podem abençoar ou amaldiçoar; assim, quanto mais nossas ações! As armas deste mundo matam, enquanto as nossas armas dão vida. As armas mundanas dividem pessoas, nações e culturas, enquanto nossas armas de oração nos unem sob o domínio do Reino do Senhor. As armas desta terra destinam-se a ferir e mutilar os que vemos como oponentes, enquanto nossas espadas de dois gumes separam a verdade das mentiras, a fim de que cura e restauração possam começar. As armas deste mundo foram criadas por homens, para intimidar e paralisar os outros com medo, enquanto nosso armamento foi forjado no céu, para libertar e fortalecer com coragem o cativo amedrontado, a fim de que ele seja livre para andar no propósito de seu chamado divino. Nós atacamos a fortaleza para libertar os cativos.

Pai Celeste, sempre que eu me encontrar em uma batalha, mostra-me contra o que estou de fato lutando. Espírito Santo, faz-me sempre lembrar que devo atacar a fortaleza em vez de ferir o cativo.

Eu sou forte
QUANDO GUERREIO PARA LIBERTAR OUTROS.

8

BATALHANDO NA LUZ

Deus é luz; nele não há treva alguma.
1JOÃO 1:5

No livro de Josué, lemos a história de uma batalha acirrada entre o povo de Deus e seus inimigos. O Senhor estava lutando bem ali, ao lado deles. Josué, o líder, deve ter concluído, em algum momento, que eles precisavam de mais luz para continuar, então disse: "Sol, pare sobre Gibeom! E você, ó lua, sobre o vale de Aijalom!" A Bíblia nos diz que "o sol parou, e a lua se deteve, até a nação vingar-se dos seus inimigos [...] O sol parou no meio do céu e por quase um dia inteiro não se pôs [...] Sem dúvida o Senhor lutava por Israel!" (Josué 10:12-14).

Aparentemente, o elemento que faltava nessa batalha era luz, e Deus proveu-o de modo miraculoso. À luz do sol eles conseguiam ver claramente seus aliados e seus inimigos. Mas na escuridão é fácil confundir um inimigo com um amigo e sair de formação. Da mesma maneira, em nossa batalha espiritual, precisamos de luz para lutar! E Deus nos oferece essa luz em abundância. Ele é o sol em nosso céu, dissipando as trevas que confundem, consternam e solapam energia. Enquanto nosso inimigo tem sucesso na escuridão, nós temos sucesso e vitória à luz do amor e da verdade de Deus. "Olhe! A escuridão cobre a terra, densas trevas envolvem os povos, mas sobre você raia o Senhor, e sobre você se vê a sua glória" (Isaías 60:2). Assim como os filhos de Israel, não somos controladas pelas trevas que nos rodeiam, porque temos sobre nós o nascer do Filho do Senhor Deus. O exército de Israel deve ter pensado que era impossível parar o anoitecer, mas o que é impossível para os homens é possível para Deus. Nosso Deus lida no impossível. Ele responde: "Eu sei que você vê trevas caindo sobre a terra e o povo, mas não tenha medo, pois eu sou sua cobertura de luz."

Enquanto batalha, não olhe para a escuridão ao seu redor. Lembre-se da luz que está dentro de você. Deus continua a brilhar e a dissipar as sombras para você, mesmo que demore o dia e a noite toda.

Senhor Deus, eu sou fortalecida pela tua luz dentro de mim. Brilha em mim até a batalha terminar!

Eu sou forte

QUANDO LUTO, PORQUE DEUS É MINHA LUZ.

9

DETERMINADA

Tomem suas posições, permaneçam firmes e vejam o livramento que o Senhor lhes dará.
2CRÔNICAS 20:17

Nesta jornada da vida, você vai querer desistir. Chega um momento na vida de todo mundo em que se deseja apenas deitar e parar. O que separa aqueles que vacilam e fracassam dos que experimentam a vitória é a capacidade de se reerguer. Há muitas batalhas que são vencidas simplesmente por você durar mais que o inimigo. Todas nós seremos derrubadas. Você não pode impedir isso, mas é você quem decide se voltará a colocar-se em pé. Determine-se a perseverar na fé, mesmo quando não se sentir forte. Seus sentimentos vão limitá-la, porque você não sabe de fato do que é capaz até se apresentar para o serviço. Enquanto permanecemos firmes, nosso Senhor luta por nós. Vai ser difícil. Quando é que começamos a imaginar poder haver vitória sem batalha? Existe uma batalha da qual você continua recuando? Existe um terreno espiritual do qual você se afastou? Deus a está chamando de volta à posição. Aquele que lhe prometeu é fiel. Deus é forte e ele a quer forte. Ele revelará a força divina a você para que possa revelá-la por meio de você. Quando estiver cansada, quando quiser parar, lembre-se do que ele diz em 2Crônicas 20:17:

> Vocês não precisarão lutar nessa batalha. Tomem suas posições, permaneçam firmes e vejam o livramento que o Senhor lhes dará, ó Judá, ó Jerusalém. Não

tenham medo nem desanimem. Saiam para enfrentá-los amanhã, e o Senhor estará com vocês.

O Senhor luta por nós. Algumas vezes, a vitória chega se meramente continuarmos a nos apresentar. Vencemos à medida que continuamos amando, dando, servindo e aprendendo. Outras batalhas são vencidas na música. Quando cantamos a Palavra de Deus, estamos cantando uma espada do Espírito. Quando oramos as promessas divinas, estamos cantando uma oração. Algumas batalhas são vencidas em silêncio e rendição a ele. Estamos tão confiantes de que Deus é bom e de que faz o bem, que simplesmente sorrimos com confiança, sabendo que ele dá conta. Quando saímos na força dele, podemos enfrentar qualquer coisa que a vida atire em nós — desânimo, exaustão ou oposição direta. É-nos dito: "Por isso não tema, pois estou com você; não tenha medo, pois sou o seu Deus. Eu o fortalecerei e o ajudarei; eu o segurarei com a minha mão direita vitoriosa" (Isaías 41:10).

Deus Todo-poderoso, eu permanecerei firme em tua fidelidade enquanto tu lutas por mim. Escolho determinação e perseverança todos os dias, até que a batalha seja ganha.

Eu sou forte

QUANDO TOMO MINHA POSIÇÃO, CONFIANTE DE QUE O SENHOR MEU DEUS ESTÁ LUTANDO POR MIM.

Forte na graça

1

SEU PASSADO NÃO
É SEU FUTURO

Então Jesus pôs-se em pé e perguntou-lhe: "Mulher, onde estão eles? Ninguém a condenou?" "Ninguém, Senhor", disse ela. Declarou Jesus: "Eu também não a condeno. Agora vá e abandone sua vida de pecado."

JOÃO 8:10,11

Nenhuma de nós é sem pecado, e muitas vezes nos deitamos com homens, religião ou com o mundo em busca de nos afirmar. Mas isso sempre nos decepcionará. No final das contas, pecado e religião trairão você. Em João 8, Jesus deu dignidade, poder e honra a uma mulher sem nome que havia virado um espetáculo público. Jesus olhou para além do óbvio e se recusou a reconhecer o estado atual daquela mulher como sua condição permanente. Em essência, ele lhe disse: "Seu passado não é seu futuro! Vá e não peque mais! O pecado era seu passado, mas a piedade é seu futuro. O cativeiro era seu passado, mas a liberdade é seu futuro. A vergonha era seu passado, mas a dignidade é seu futuro. A nudez era seu passado, mas vestes de esplendor são seu futuro."

Jesus faz muito mais do que perdoar essa mulher... Ele a manda embora livre. O perdão é onde a liberdade começa. Livre dos grilhões do pecado, a graça move-nos adiante, a fim de que o pecado não nos enlace novamente. Primeiro Jesus derrama prodigamente sua misericórdia sobre nós, depois ele nos fortalece pela graça. "Pois o pecado não os dominará, porque vocês não estão debaixo da Lei, mas debaixo da graça" (Romanos 6:14).

A misericórdia lida com o que fizemos, e a graça nos capacita a andar de modo que honre o que Jesus fez em nosso favor. A misericórdia e a graça de Deus nos capacitam a deixar para trás nossa vida pecaminosa e a andar no futuro e esperança divinos.

Nós recebemos graça. O poder de nosso antigo cativeiro foi quebrado. Está na hora de termos mais fé nas palavras de Cristo, nosso libertador, do que no poder das correntes. O domínio que elas têm sobre você não é tão grande quanto a reivindicação de Deus para você. Ouse crer e deixe para trás as sombras de seu passado!

Pai Celeste, obrigada por me perdoares e me agraciares com um futuro. Eu creio nas tuas palavras de luz mais do que nas mentiras das trevas.

Eu sou forte
PORQUE MEU PASSADO NÃO É MEU FUTURO.

2

PERDOADA

Sejam bondosos e compassivos uns para com os outros, perdoando--se mutuamente, assim como Deus os perdoou em Cristo.

EFÉSIOS 4:32

Eu tinha um número esmagador de delitos e ofensas acumulado em meu histórico quando finalmente me tornei cristã. Quando meu marido, John, me conduziu em uma oração de salvação, ele me fez repetir após ele:

— Senhor, eu confesso meus pecados.

Entrei em pânico.

— Não sei se consigo lembrar-me de tudo!

Eu estava com medo de que minha salvação se perdesse devido à minha memória defeituosa.

— Você não precisa citar um a um; apenas confesse que você pecou — tranquilizou-me John.

Fiquei consolada, porque tinha certeza de que Deus mantinha um registro deles muito melhor do que o meu. Eu sabia que era uma pecadora e sabia que precisava de misericórdia. Eu precisava de perdão, e o recebi, pela graça de Deus.

Mas não levou muito tempo, em minha caminhada cristã, até que eu me encontrasse em um estado de falta de perdão para com outros cristãos, ou, devo dizer, conservos. Eu sentia que eles me deviam algo, como um pedido de desculpas. Permiti que isso me consumisse. Durante esse período, experimentei muita guerra espiritual. Sentia-me como um alvo — porque eu era. Mesmo sendo cristã, fui uma presa dos planos do Diabo. Passava muito tempo ligando e desligando coisas em oração, mas de nada servia. Eu estava atada por cordas fabricadas por mim mesma. Quando finalmente vi a verdade, percebi que não importava o que havia sido feito a mim. Não importava se eu estivesse certa e eles estivessem errados. Tudo o que importava era a obediência à ordem do Senhor de perdoar como eu havia sido perdoada.

Fiquei impressionada com a extensão de meu próprio engano. Eu havia pensado que estava tão certa, quando, na verdade, estava tão errada. Com essa percepção, perdoei liberalmente e clamei ao Senhor para me lavar de novo no rio purificador de sua misericórdia, e, é claro, ele o fez. Deixe-me dizer: eu já estive amarrada e já estive livre, e livre é melhor. Não importa quanto orgulho você tenha de engolir, livre ainda é melhor.

Pai Celeste, revela qualquer engano e quaisquer áreas de falta de perdão em minha vida.

Eu sou forte
PORQUE PERDOO A MIM E AOS OUTROS.

3

GRACIOSA

A sabedoria do homem lhe dá paciência; sua glória é ignorar as ofensas.
PROVÉRBIOS 19:11

O autor de Provérbios disse-nos que é nossa "glória" ignorar uma transgressão ou uma ofensa. Consiste em honra, louvor, eminência e distinção de um cristão ignorar uma ofensa. É um exemplo de nosso agir à semelhança de Cristo.

Só é possível deixar passar insultos, agravos e ameaças se primeiro nos comprometermos com nosso Pai, o justo juiz. Muitas vezes, quando estão tendo algum tipo de desentendimento, meus filhos apelam para nosso senso de justiça: "Ele não está limpando o suficiente", ou: "Ele está no computador há tempo demais." Eles querem que sua causa seja ouvida para, com esperança, conseguir as coisas do jeito deles e, então, ver a justiça feita. John e eu intervimos e apitamos da melhor maneira possível, mas com frequência eles acham nossas chamadas injustas. Isso pode levar ao desastre de resolverem o assunto com as próprias mãos. Não estou falando sobre resolução de conflitos; nós encorajamos isso. É vingança.

— Por que você bateu no seu irmão?

— Porque ele...

Você já ouviu isso antes.

Quando lhes dizemos para trazer o problema até nós em vez de bater, muitas vezes ouvimos: "Mas da última vez você não fez nada." O que, traduzido, quer dizer: "Eu decidi que não gostei do jeito como você lidou com isso, portanto não vou me arriscar desta vez. Eu vou cuidar disso!"

John e eu somos os primeiros a admitir que cometemos erros como pais, mas a boa notícia é que Deus não comete! Ele é um Juiz justo e perfeito. Suas decisões podem não ser no nosso tempo ou da maneira como sugerimos, mas seus caminhos são perfeitos, enquanto os nossos são falhos. Quando deixamos passar uma ofensa, somos como crianças confiantes, que dizem: "Pai, sei que posso confiar em ti sobre isso. É grande e doloroso demais para mim. Eu me recuso a atacar; em vez disso, coloco a questão aos teus pés e perdoo." É um gesto real. É assim que imitamos o Filho de Deus em nossa vida terrena. Jesus disse aos discípulos: "Se [seu irmão] pecar contra você sete vezes no dia, e sete vezes voltar a você e disser: 'Estou arrependido', perdoe-lhe" (Lucas 17:4).

Haverá ofensas que cada um de nós precisará deixar passar. Deixar passar é ver além de algo; é escolher ver as coisas em um nível mais alto do que a ofensa cometida. É estender graça e misericórdia quando você preferiria exercer juízo.

Senhor, faz-me graciosa para com os outros, e não pendurada em ofensas. Que eu reflita tua graça e misericórdia em tudo o que faço.

Eu sou forte
QUANDO SOU TÃO GRACIOSA COM OS OUTROS COMO DEUS FOI COMIGO.

4

CRESCIMENTO, NÃO CULPA

Portanto, agora já não há condenação para os que estão em Cristo Jesus.
ROMANOS 8:1

Por que somos tão duras conosco? O que pensamos conseguir com isso? Eu costumava ir para a cama todas as noites e recitar uma lista mental de todas as falhas do dia. Eu me punia com ela, chicoteando-me com a vergonha de qualquer erro lembrado, na tentativa de pagar uma penitência por minhas infrações. Você pode terminar o dia desapontada e chateada consigo mesma, imaginando que, ao se punir, você de alguma forma emergirá mudada e diferente. Mas isso não é verdade. Esse padrão é destrutivo, e não construtivo.

Não é errado perceber que você cometeu erros ou desejar ter feito as coisas de modo diferente. É saudável permitir que o Espírito Santo lhe traga à mente palavras e ações errôneas. Mas essa reflexão é para crescimento, não para culpa. Toda noite eu ralhava comigo pelos fracassos do dia, até me sentir asfixiada pelo peso deles. Só então eu me permitia orar e pedir perdão. Mas, naquele momento, a culpa me levara a tal ponto de estrangulamento, que achava difícil crer que a misericórdia da manhã seguinte seria suficiente para cobri-la.

Por exemplo, se ficasse desapontada com o modo como havia lidado com meus filhos durante o dia, eu insistia em me atacar com perguntas como: "Por que você está tão impaciente?"

Em lugar de procurar maneiras de ser mais paciente, eu me rotulava um fracasso, o que servia apenas para predispor-me novamente a fracassar.

Aversão e raiva de si mesma criam um padrão destrutivo de culpa.

Jesus entendia que o peso da culpa era demais para nós suportarmos, por isso ele o suportou por nós. Nossas falhas devem ser trazidas à luz da Palavra. Nela encontramos conselho e discernimento, em lugar de acusação e culpa. O que a luz revela também tem o poder de curar. Culpa é escuridão; misericórdia é luz. Em vez de repassar nossos erros, repassemos as respostas que os endireitam.

Querido Pai Celeste, perdoa-me por ralhar comigo mesma e me martirizar. Que a luz de tua Palavra permeie meu coração com a verdade. Ajuda-me a abandonar meu autojulgamento e a abraçar tua misericórdia.

Eu sou forte
PORQUE ESCOLHO CRESCIMENTO EM LUGAR DE CULPA.

5

O JARDIM DO CORAÇÃO

Cuidem que ninguém se exclua da graça de Deus; que nenhuma raiz de amargura brote e cause perturbação, contaminando muitos.
HEBREUS 12:15

Quando eu era menina, muitas vezes recebia a tarefa de arrancar ervas daninhas. Eu estava sempre com pressa de fazer logo e acabar para poder brincar. Em meu descuido, eu muitas vezes arrancava o topo da erva, em vez de puxá-la pela raiz. Eu tinha de furar a terra para conseguir pegar a base, mas não queria mexer com aquilo. Sem o caule e as folhas, eu pensava que a planta morreria e que minha mãe nunca saberia o que havia no subsolo. Eu espalhava terra com o ancinho sobre os cotocos retorcidos e ia embora. Algumas semanas depois, outra erva daninha estava em seu lugar. Era menor do que a original que eu arrancara, mas agora possuía um sistema de raízes incrivelmente teimoso. Minha mãe me mostrava que, então, seria necessário cavar em torno da base da planta e expor raiz suficiente para conseguir dar-lhe a pegada mortal. O que começou como uma tarefa fácil agora se transformara em uma batalha tediosa.

Quantas vezes fazemos a mesma coisa com o jardim de nosso coração?

Satanás deseja plantar sementes de desesperança, de pensamentos errados ou raiva em nós, até que a raiz da amargura sufoque as mudinhas nutritivas da Palavra de Deus.

As ervas daninhas crescem mais rápida e facilmente do que as plantas. Elas são plantas selvagens, que viajam livremente, adaptando-se a qualquer tipo de solo que encontram. Por outro lado, as sementes vivas de frutas ou vegetais devem ser cultivadas de modo cuidadoso, sendo facilmente sufocadas pelas ervas daninhas que as cercam ou por condições erradas do solo.

As raízes de amargura brotarão nos momentos mais inoportunos, quando for mais inconveniente tratar delas. Embora possam ser inconvenientes, elas não devem ser ignoradas, porque se tornarão mortais se deixadas sem um tratamento. Não se engane permitindo que fiquem sem controle e jamais retire a parte visível pensando que isso deterá a raiz. Não irá; servirá apenas para fortalecê-la. Com muita frequência, ficamos satisfeitas com a mera ilusão de que tudo está sob controle, em vez de permitir que o Espírito Santo faça um trabalho profundo em nós.

Assim, sejamos jardineiras vigilantes. Se detectarmos amargura em nosso coração (ela tenta surgir em toda fase), podemos levá-la ao Mestre Jardineiro, que nos ajudará a expor o sistema de raízes para destruí-lo. Se a Palavra adentrar profundamente o solo de nosso coração, cultivaremos uma bela colheita.

Pai, ajuda-me a ser diligente no cultivo de minha alma, jamais temendo expor as raízes de amargura que possam crescer em mim. Alerta-me a cada pequeno broto e me capacita com tua força para arrancar desde a raiz aquilo que não faz parte.

Eu sou forte
QUANDO CUIDO DO MEU CORAÇÃO COMO UM JARDIM.

6

A CAIXA DO JULGAMENTO

Não julguem, para que vocês não sejam julgados. Pois da mesma forma que julgarem, vocês serão julgados; e a medida que usarem, também será usada para medir vocês.
MATEUS 7:1,2

A maioria de nós gosta das coisas em caixas organizadoras. Ficamos mais confortáveis se soubermos o que cabe em cada compartimento. Se não conseguimos colocar algo ou alguém em nossas caixas, geralmente julgamos. Mas isso realmente diz mais sobre nós do que sobre a pessoa que estamos julgando. Lembro-me de ter sido atormentada em meus pensamentos por uma situação que ocorreu quando eu tinha poucos anos de cristã. Eu simplesmente não conseguia classificá-la em uma caixa organizadora.

Havia um casal cristão que testemunhava abertamente sobre como Deus os unira em um casamento. Nós passávamos tempo com os dois e sabíamos que realmente amavam a Deus e ao povo de Deus. De repente, houve todo o tipo de rumores feios, e, antes que se percebesse, eles estavam em vias de divórcio. Não houve adultério; parecia simplesmente que não eram compatíveis. Isso realmente me atordoou. Eu estava lutando com problemas em meu casamento e confiava que Deus os resolveria, porque tinha certeza de que ele me havia unido a John. No entanto, aquele casal, que também dissera que Deus os havia unido, agora caía fora.

Isso abalou minha confiança de que Deus poderia fazer algo em meu casamento. Sentia-me compelida a encontrar algum tipo de falha naquele casal. Se pudesse desqualificá-los, poderia espremê-los em uma caixa.

Eu levei meu tumulto interno a um conselheiro de confiança, esperando uma resposta bíblica longa e bem pensada. Mas, em vez disso, ele apenas suspirou e disse: "Essa é difícil. Fico feliz por não ter de julgar."

Imediatamente senti o peso da situação afastar-se de mim. Suas simples palavras libertaram-me do meu fardo. Ele estava certo. Eu havia permitido que Satanás agitasse meu coração para julgar os outros, e isso me fazia duvidar da fidelidade de Deus. Eu havia medido meu casamento pelo deles, e limitara Deus ao que eu pensava que ele não havia feito por eles. Eu havia julgado por medo.

Muitas vezes julgamos para nos proteger de agravos ou críticas, mas, realmente, cada uma de nós é culpada. O versículo que segue o da passagem de hoje diz: "Por que você repara no cisco que está no olho do seu irmão, e não se dá conta da viga que está em seu próprio olho?" (Mateus 7:3).

Jesus nos lembra de que precisamos remover a viga de julgamento para que vejamos de modo claro e verdadeiramente sejamos de ajuda aos outros e a nós mesmas. Quando não conseguimos encaixar as outras pessoas em nossas caixas, que examinemos nosso próprio coração — e sejamos gratas por não ser nosso trabalho julgar.

Pai, quando eu julgo os outros, faz-me lembrar de que a mesma medida de julgamento que eu usar neles será usada em mim. Ajuda-me a semear misericórdia, porque preciso de misericórdia.

Eu sou forte
PORQUE ESTOU VIVENDO A VIDA FORA DA CAIXA DO JULGAMENTO.

7

ASSUMIR E DEIXAR IR

Se confessarmos os nossos pecados, ele é fiel e justo para perdoar os nossos pecados e nos purificar de toda injustiça.
1JOÃO 1:9

Há tanta liberdade nessa promessa! Quando confessamos nossos pecados, ele não apenas perdoa, mas nos purifica das consequências de nossas escolhas. Por que é que tentamos repassar a culpa dando desculpas? Eu aprendi que, quando você assume um erro, ele não mais assume você. Não há motivo para fazer o joguinho de culpar os outros quando Jesus já assumiu nossa culpa; nós confessamos e seguimos em frente.

Primeiro, vamos falar sobre assumir. Na minha infância, havia um comediante chamado Flip Wilson, e ele interpretava um personagem chamado Geraldine, que sempre dava a desculpa: "O Diabo me fez fazer isso!" Nós podemos ser criativas com nossas desculpas, mas a verdade é que o Diabo não pode levar ninguém a fazer o que não quer. Acredito haver uma outra maneira pela qual inadvertidamente repassamos a culpa e damos desculpas. É quando dizemos: "Eu não pude evitar", ou: "Simplesmente não pude controlar-me." É quando contradizemos Deus, que diz que podemos fazer todas as coisas por Cristo que nos fortalece, e dizemos que o pecado tem controle sobre nós e não somos capazes de dominá-lo. Podemos não dizê-lo com a boca, mas é bem provável que o digamos com nosso estilo de vida. O arrependimento diz: "Eu fiz, eu me arrependo e me volto a ti, Senhor, para me lavares."

Depois que assumimos nossos erros, chega um passo ainda mais difícil: deixar ir. Você deve libertar-se. Isso é crucial, porque é um fator-chave para sua saúde emocional, física e espiritual. Bem nenhum advém de tentar punir-se por algo que Deus já perdoou e esqueceu. Se ele afastou sua iniquidade como o Oriente está longe do Ocidente (Salmos 103:12), não faz sentido você trazê-la à baila.

É a bondade e a benignidade de Deus que nos levam ao arrependimento. Isso vai contra tudo o que está entranhado em nós. Queremos pagar; aí então nos sentiremos liberadas de nossa culpa. Cresci ouvindo: "Eu vou acreditar que se arrependeu quando você mudar." Mas Deus estende sua misericórdia quando não a merecemos, a fim de que possamos mudar. Misericórdia é quando não recebemos o que merecemos. Esse é um conceito difícil para a maioria de nós entender. Ficamos mais confortáveis com regras e "olho por olho, dente por dente". A lei, nosso inimigo e o acusador em nossa mente sempre pedirão juízo, enquanto o Espírito concede misericórdia. Aceite essa misericórdia, amiga. Aceite o caminho de Deus para se libertar do pecado.

Senhor, revela-me todas as maneiras pelas quais estou resistindo às tuas provisões para me libertar do pecado. Mostra-me o que eu preciso assumir e deixar ir.

Eu sou forte
QUANDO ASSUMO MEUS ERROS E ACEITO A MISERICÓRDIA QUE NÃO MEREÇO.

8

EQUIPADA PARA VIVER

Qualquer um que odeia seu irmão em Cristo já é, na realidade, um assassino; e vocês sabem que nenhum assassino tem a vida eterna dentro de si.

1JOÃO 3:15, NBV

Há ódio demais em nosso mundo. Está na hora de levarmos esse versículo a sério. Quem odeia seu irmão é um… o quê? O assassinato entra pela porta do ódio. Para começar, esse trecho da Escritura se inicia dirigindo-se a "qualquer um", e isso inclui todo mundo. Não existe uma cláusula de exceção que diga: "Alguém que foi realmente maltratado por seu(s) irmão(s) está excluído." Quando lemos "qualquer um", "alguém" ou "todo mundo", isso significa que as Escrituras se aplicam a cada um de nós. Não temos uma cláusula para sair fora.

Agora, eis as boas novas: essa é uma oportunidade para ganharmos força e crescermos na graça. Ao nos submetermos à Palavra do Senhor, ele nos equipa para vivermos a verdade. Esse versículo diz que qualquer que odeia seu irmão é um assassino. Não há maneira de contornar isso — é algo forte. Eu não quero ser chamada de assassina. Houve momentos em minha caminhada cristã, contudo, em que encontrei o ódio escondido nos recônditos de meu coração. Isso significa que eu sou eternamente condenada como uma fora da lei ou mesmo uma assassina? Não se eu me arrepender e me recusar a permitir que a escuridão permaneça e cresça sem controle.

Nós experimentamos a graça que fortalece e a misericórdia que abriga de Deus. Não há pecado tão sombrio ou hediondo que ele não perdoe. Deus perdoa assassinos que se arrependem.

Vemos a vida da perspectiva do Reino, e não da perspectiva de nosso sistema judicial terreno. Não somos mais meras cidadãs desta terra, pois as Escrituras nos dizem: "Portanto, vocês já não são estrangeiros nem forasteiros, mas concidadãos dos santos e membros da família de Deus" (Efésios 2:19).

Somos governadas pelos caminhos mais elevados dos céus (e a eles respondemos), e não pelas leis e pelos tribunais da terra. O céu não é governado por regras e regulamentos externos, gravados em pedra; ele nos transforma pelo código secreto escrito em nosso coração. Regras mortas e sem vida são para corações mortos e duros. A lei da liberdade é para corações de carne. É por isso que nos tribunais da terra deve-se efetivamente matar para cometer assassinato, mas, nos do Reino, o mero ódio define-se como tal. É hora de lidarmos com qualquer ódio sombrio em nosso coração e confrontarmos um espírito de assassinato.

Pai Celeste, revela todas as áreas de ódio em meu coração. Eu renuncio a isso como faria com o pecado de assassinato. Perdoa-me assim como eu perdoo.

Eu sou forte
QUANDO DEPENDO DO PODER SOBRENATURAL, DA MISERICÓRDIA E DA GRAÇA DE DEUS.

9

SEM CONDENAÇÃO

Declarou Jesus: "Eu também não a condeno. Agora vá e abandone sua vida de pecado."
JOÃO 8:11

Essas são as palavras que nosso Senhor fala a mulheres obviamente culpadas. Infelizmente, a ofensiva mais malévola de Satanás contra as filhas de Eva é com frequência lançada sob o disfarce de religião. Em João 8, vemos de modo claro a crueldade da lei e da religião, bem como a beleza da misericórdia e do amor de Deus. Vamos visitar essa cena juntas e, talvez, vê-la sob uma luz diferente.

Na penumbra do início da manhã, uma grande multidão espera para ouvir um jovem rabino chamado Jesus. Jesus é tão diferente! Quando ele fala, você ouve as palavras de Deus Pai.

Ao primeiro brilho do amanhecer, Jesus aparece com seus discípulos. Após saudar alguns na multidão, ele se senta para ensinar. Eles ouvem atentamente, o coração apegando-se a cada palavra. Mas há um tumulto no horizonte.

À revelia de Jesus e seus discípulos, outro grupo se aproxima. As vozes raivosas e as formas sombrias estão lutando com alguém. São os líderes religiosos, arrastando uma mulher desgrenhada, que agarra um remanescente de pano, tentando esconder a nudez. Está óbvio que ela foi arrastada de uma cama de vergonha. O homem, no entanto, não está à vista.

Eles dizem a Jesus: "Mestre, esta mulher foi surpreendida em ato de adultério. Na Lei, Moisés nos ordena apedrejar tais mulheres. E o senhor, que diz?" (João 8:4,5).

O que Jesus dirá a tal mulher? A princípio, ele não está disposto a olhar para ela ou a responder-lhes. Ele se inclina e escreve no pó.

Em seguida, fala apenas aos acusadores, desafiando aquele que não tem pecado a jogar a primeira pedra. Um por um eles saem. Eles saem até que fiquem só Jesus, a multidão e a mulher obviamente culpada. Mesmo não tendo pecado, Jesus recusou-se a jogar uma pedra naquela mulher. Somente ele é o reto justo, que veio para salvá-la, e não condená-la.

Jesus fica calado até que todos os acusadores tenham ido.

Então Jesus pôs-se em pé e perguntou-lhe: "Mulher, onde estão eles? Ninguém a condenou?"

"Ninguém, Senhor", disse ela.

Declarou Jesus: "Eu também não a condeno. Agora vá e abandone sua vida de pecado" (João 8:10,11).

Ela levanta a cabeça e encontra o olhar dele. Naqueles olhos ela vê perdão, amor e até dor. Ela não é mais filha da morte e das trevas, mas da vida e da luz.

Quando a serpente arrasta nossa vergonha e nos acusa, nós podemos olhar para aqueles mesmos olhos e saber que Jesus não nos condena. Sua misericórdia nos defende, e sua graça nos diz que podemos ir... e não pecar mais.

Senhor, obrigada por nos defender quando não conseguimos defender a nós mesmas. Obrigada por nos salvar, em vez de nos condenar.

Eu sou forte

QUANDO DEIXO O SALVADOR ME DEFENDER DIANTE DO ACUSADOR, E, ENTÃO, LEVANTO-ME DA MINHA VERGONHA.

Forte no domínio próprio

ESCUTE ATENTAMENTE

Não seja precipitado de lábios, nem apressado de coração para fazer promessas diante de Deus. Deus está nos céus, e você está na terra, por isso, fale pouco.
ECLESIASTES 5:2

As Escrituras têm muito a dizer sobre o poder das palavras e o controle da boca. No entanto, também é importante prestar atenção ao poder da escuta. Escutar requer disciplina, leva tempo e demanda paciência. Isso significa fazer as perguntas que nos ajudarão a entender o que está sendo dito, a fim de podermos ir mais a fundo. É extremamente importante que as pessoas sintam-se ouvidas.

Para isso, é preciso lutar contra o desejo de assumir saber o que as outras pessoas estão pensando — elas podem muito bem surpreendê-la. Acredito que o dito seja: "Todo mundo que você encontra tem algo a ensinar." Nós crescemos quando somos constantes aprendizes. Não ouça para poder falar; ouça para aprender. Resista ao impulso de formular sua resposta enquanto a outra pessoa ainda está falando (como os casais fazem durante as brigas). Há algo por demais honroso em escutar verdadeiramente o coração de alguém. As pessoas sabem quando você não está ouvindo. Eu viajo muito, e Deus me dá várias oportunidades de compartilhar seu amor e sua luz durante o voo. A conversa sempre começa com a escuta. As pessoas ouvirão o que você tem a dizer se você ouvir o que elas têm a dizer. Ouça as necessidades, as mágoas e os pensamentos delas. Depois, peça ao Espírito que fale por meio de você.

Escutar bem os outros também pode despertar algo dentro de você. Não percamos o que podemos aprender porque somos rápidas demais em compartilhar o que já sabemos.

Provérbios nos adverte: "Quando são muitas as palavras, o pecado está presente, mas quem controla a língua é sensato. A língua dos justos é prata escolhida, mas o coração dos ímpios quase não tem valor" (10:19,20). A prata escolhida é refinada pelo fogo. Quando permitimos que o fogo da Palavra de Deus purifique nossa conversa, as impurezas e indiscrições são removidas de nossas conversas. O livro de Tiago nos encoraja a sermos tardias em falar. Tantas vezes fui salva por retardar o que eu estava prestes a dizer. Quanto mais escuto, mais devagar eu falo.

Mesmo em conversas com Deus, somos encorajadas a ter poucas palavras. Ele está no céu, enquanto nós somos meramente habitantes da terra. Uma parte integrante do próprio temor ou respeito a Deus é saber quando falar e quando ouvir. Nós aprendemos pelo escutar, não pelo falar. Isso significa que sua vida de oração deve incluir tempo para escutar. Não existe algo como um silêncio constrangedor com Deus. Pare. Escute — a Deus e às pessoas que ele coloca em seu caminho, e você se fortalecerá.

Senhor, ajuda-me a ouvir o que as pessoas estão realmente dizendo e a responder conforme tua condução. Ensina meu coração a ouvir tua voz todos os dias.

Eu sou forte
QUANDO ESCUTO BEM A
DEUS E AOS OUTROS.

2
CONTROLE DE APETITE

"Tudo me é permitido", mas nem tudo convém. "Tudo me é permitido", mas eu não deixarei que nada me domine.
1CORÍNTIOS 6:12

Admito: eu desenvolvi um apetite por chocolate amargo e café. Eu me pergunto se, ocasionalmente, ainda desejaria um bom chocolate amargo se nunca o houvesse provado. E o café? Se eu nunca tivesse misturado uma colher de sopa cheia de sorvete de café da Breyer em minha xícara de java e polvilhado canela por cima, em uma tentativa desesperada de ficar acordada certa manhã, será que eu ainda desejaria *mocha lattes*?

Claro que não! E eu não ia saber o que estava perdendo. Não teria desenvolvido um gosto por essas coisas deliciosas. Enquanto só conhecia o café como um líquido grosso, preto e amargo, eu o desprezava. Enquanto o chocolate estava apenas na forma de branco ou ao leite, eu não tinha problemas em resistir.

Na verdade, não há luta! Eu não luto contra minha ocasional ânsia por chocolate ou contra meu ritual matinal de café saborizado... Eu cedo a eles! Eles não são meus mestres, mas uma parte de um ritual de conforto pelo qual passo. Eu posso passar uma semana ou mais sem chocolate amargo e ninguém se ferirá. Não vou ficar ranzinza, mas gosto quando o tenho. Quanto ao café, se eu quero acordar de súbito, em vez de emergir lentamente de um nevoeiro, eu o bebo.

Mas, e se eu permitisse que o desfrute deles estivesse acima do meu desejo por outros alimentos saudáveis? E se eu decidisse que o prazer sensual (oferecido pelo chocolate amargo) e o elevado estado de consciência (fornecido pelo café) fossem mais importantes do que quaisquer outros sentimentos em minha vida? Talvez, então, a mistura de saladas verdes não tivesse mais nenhum apelo, porque não me faria sentir da mesma forma que o chocolate faria. Pode ser que todas as minhas outras opções de comida e bebida parecessem sem graça e banais.

E se eu escapasse da realidade e por duas semanas existisse somente pelos méritos do chocolate e do café? Eu ficaria feliz, magra e acordada... pelo menos por um pouco. Depois, tudo se desequilibraria, e meus apetites teriam de ser trazidos de volta ao controle.

Meu ponto é que desenvolvemos nossos próprios apetites e desejos. Seja para comida, seja para sexo, seja para entretenimento ou mídia social, qualquer apetite pode tornar-se viciante o bastante para substituir a realidade e nos fazer perder o equilíbrio. É por isso que devemos ser fortes e ter domínio próprio, sem que sejamos controladas por nossos apetites. Nós temos o poder de aumentar ou diminuir essas influências pela importância que lhes atribuímos.

Pai Celeste, mostra-me como avaliar meus apetites, a fim de que não fiquem desequilibrados. Dá-me a sabedoria de saber quando algo é demais em minha vida, para que eu não seja escravizada por nada.

Eu sou forte
PORQUE DOMINO MEUS APETITES E DESENVOLVO O EQUILÍBRIO, EM VEZ DE DEIXAR QUE ELES ME CONTROLEM.

3

TUDO BEM FICAR COM RAIVA

Fiquem irados e não pequem.
EFÉSIOS 4:26, NAA

A primeira parte de Efésios 4:26 é fácil demais: "Fiquem irados." Eu posso fazer isso sem nem tentar. Deus nos diz para ficarmos com raiva porque não tem problema estarmos chateadas. A ira é uma emoção humana tão válida quanto a alegria, a tristeza, a fé e o medo. Até Deus fica bravo — na verdade, com bastante frequência. O Antigo Testamento registra várias centenas de referências de sua ira contra Israel e outras nações.

Quando uma emoção é suprimida por não ser validada, ela será, por fim, expressa de forma inapropriada. Em contrapartida, se uma emoção é expressa sem restrições, o pecado segue em seu encalço. O próprio Deus valida a raiva humana. No entanto, a maioria de nós nem sequer a entende. Será que é jogar coisas, gritar e berrar com nossos queridos? É ressentir-se pelo tratamento desleal? Não, esses são exemplos de expressões inapropriadas de raiva. Há uma linha tênue entre raiva e pecado.

O dicionário American Heritage define raiva como "forte descontentamento, geralmente temporário, sem especificar o modo de expressão". Tudo bem sentir um intenso ou forte descontentamento por um evento ou pelas ações de alguém — desaprovação, aversão ou aborrecimento. Esses sentimentos são comuns a todos nós e podem ser ocorrências diárias. É a parte do "e não pequem" que exige algum trabalho. Seria errado esperar de uma criança as mesmas reações que esperaríamos de um adulto. Conforme amadurecemos, nossa capacidade de exercer domínio próprio deve amadurecer. Não é errado ficar chateada, mas é errado punir outras pessoas por estarmos chateadas. Como cristãs, não representamos mais apenas a nós mesmas. Nós somos representantes do Senhor, e isso significa que devemos dar um passo atrás e considerar como nossas reações afetam os outros. Nenhuma de nós pode controlar o que nos acontece, mas estamos todas no controle de como escolhemos responder.

Senhor, por favor, ajuda-me a administrar bem minhas emoções, com a maturidade e a graça apropriadas a uma filha tua. Mostra-me a tênue linha entre raiva e pecado, e me guia com teu Espírito quando me aventurar perto demais dela.

Eu sou forte **PORQUE ESCOLHO O QUE FAÇO COM MINHA RAIVA.**

4

CUIDADO COM AS PALAVRAS

Todos tropeçamos de muitas maneiras. Se alguém não tropeça no falar, tal homem é perfeito, sendo também capaz de dominar todo o seu corpo.

TIAGO 3:2

O livro de Tiago continua, nos versículos 3 e 4, ilustrando a importância de domar a língua: "Quando colocamos freios na boca dos cavalos para que eles nos obedeçam, podemos controlar o animal todo. Tomem também como exemplo os navios; embora sejam tão grandes e impelidos por fortes ventos, são dirigidos por um leme muito pequeno, conforme a vontade do piloto."

O que dizemos pode orientar a nossa vida para o bem ou para o mal. As palavras não apenas nos dirigem; elas podem ser agentes de destruição. Tiago segue comparando o que dizemos a pequenas faíscas que podem dar início a um grande incêndio. Nenhuma de nós quer botar fogo em lugar nenhum! Por sua vez, o livro de Romanos revela o poder das palavras para nos redimir e nos transportar de um reino das trevas para um reino de luz. É-nos prometido em Romanos 10:9,10: "Se você confessar com a sua boca que Jesus é Senhor e crer em seu coração que Deus o ressuscitou dentre os mortos, será salvo. Pois com o coração se crê para justiça, e com a boca se confessa para salvação."

A exata coisa que nos causa problemas pode tirar-nos deles: "A língua tem poder sobre a vida e sobre a morte; os que gostam de usá-la comerão do seu fruto"

(Provérbios 18:21). Seguimos o padrão de nosso Pai Celeste, que usa suas palavras para criar e dar vida. Isso significa que podemos escolher abençoar ou amaldiçoar com nossas palavras.

Creio que essa seja uma oportunidade de aprendizado constante. Falemos de tal forma que leve à vida, e não à morte e à destruição. Sua vida seguirá sua boca; assegure-se, portanto, de dizer para onde quer ir.

Querido Senhor, vigia minha boca. Que minhas palavras ajam como um leme que me leve na direção certa, falando palavras de verdade e luz, não de destruição.

Eu sou forte
PORQUE CONTROLO MINHA FALA.

5

ARREPENDIMENTO REDENTOR

A tristeza segundo Deus não produz remorso, mas sim um arrependimento que leva à salvação, e a tristeza segundo o mundo produz morte.
2CORÍNTIOS 7:10

Todas nós experimentamos remorso, mas não devemos deixar que isso governe nossa vida. O pesar destrutivo pode levar ao que Paulo chamou de "tristeza segundo o mundo". O que é tristeza segundo o mundo? É lamentar a perda de algo, como reputação, dinheiro, posses, relacionamentos ou outras coisas que estão ligadas a este mundo. Esse tipo de tristeza concentra-se nessas perdas, sem perceber a dor que nossas ações podem ter causado a outros. Esse tipo de pesar tentará trazer mudanças por conta própria ou por meio de esforços religiosos. Mas esse enfoque raramente vai à raiz do motivo do coração.

A tristeza segundo Deus vai além da preocupação com as consequências e se concentra em qualquer dano causado no relacionamento com Deus ou com os outros. Ela é construtiva, e não destrutiva. A tristeza segundo Deus nos ajuda a ver as coisas como elas realmente são. Davi exemplifica a tristeza segundo Deus em Salmos 51:1: "Tem misericórdia de mim, ó Deus, por teu amor; por tua grande compaixão apaga as minhas transgressões."

Davi apela ao amor infalível de Deus e confessa que pecou contra ele. Não há frase de defesa em suas palavras. Não há culpa. Ele assume seu erro e reconhece abertamente seu pecado. Quando assumimos nossos erros, eles não mais nos possuem. Todas nós precisamos de misericórdia irrestrita; ao nos humilharmos, Deus nos erguerá de nossas circunstâncias.

Davi sabia que não podia purificar a si mesmo, então se voltou para o Senhor. Somente Deus tem o poder de não apenas perdoar nossos pecados, mas banir todos os vestígios de sombra e mácula.

Davi entendia que o pecado entorpece o coração e enfraquece nossa determinação. A oração do salmo progride para: "Devolve-me a alegria da tua salvação e sustenta-me com um espírito pronto a obedecer. Então ensinarei os teus caminhos aos transgressores, para que os pecadores se voltem para ti" (Salmos 51:12,13).

Esses versículos são possivelmente meus favoritos nesse salmo. Eles prometem alegria restaurada e um novo começo onde havia pesar de culpa e tristeza. Deus pode fazer algo belo de nossa feiura. Aí, então, nossos fracassos tornam-se uma oportunidade de ensinar os outros sobre a misericórdia e o amor fiéis de Deus. Minha oração é que nosso Pai Celeste transforme todos os lugares sombrios de arrependimento em faróis brilhantes de sua fidelidade e verdade. Dessa maneira, ele triunfa em nossa redenção. Desafio você a transformar todos os lugares de dor em um exemplo vivo de beleza e liberdade, enquanto ensina outros sobre o amor e a verdade que a libertaram. Esse é o radiante resultado da tristeza segundo Deus.

Senhor, que minhas tristezas sejam segundo Deus, e não segundo o mundo. Quando experimentar remorsos, eu os trarei a ti em arrependimento e experimentarei tua cura. Obrigada por fazeres coisas belas de nossas bagunças.

PORQUE LEVO MINHAS TRANSGRESSÕES A DEUS.

6

ENRAIZADA NA PALAVRA

Não deixe de falar as palavras deste Livro da Lei e de meditar nelas de dia e de noite, para que você cumpra fielmente tudo o que nele está escrito. Só então os seus caminhos prosperarão e você será bem-sucedido.

JOSUÉ 1:8

Nada nos fortalece como as palavras da Bíblia. É por isso que desenvolver a prática de retirar-se diariamente para estudar a Palavra de Deus é tão importante. Ao ler e aplicar a Palavra de Deus, você não permanece a mesma. Seu coração amolece e se torna sensível às coisas de seu Pai. Isso a torna mais aberta à liderança do Senhor. Estudar as Escrituras é a disciplina espiritual que traz vida e energia a todas as outras disciplinas espirituais.

Assim como com qualquer coisa no Reino, não é quanto das Escrituras você conhece, mas quanto você vive. Dessa maneira, a Palavra se torna carne em sua vida e produz frutos.

Assim, por onde você deve começar?

Há muitos lugares pelos quais começar e uma variedade infinita de planos de estudo disponíveis. Quer você escolha um plano de leitura da Bíblia inteira, quer você escolha um estudo sobre um tópico de seu interesse, quer você escolha uma simples pesquisa de versículos que falem sobre as questões de sua vida, faça questão de passar uma certa quantidade de tempo na Palavra todos os dias. Não tome tanto tempo a ponto de ficar esgotada, mas faça, sim, questão de abrir o Livro todos os dias. Esse momento logo se tornará uma âncora em sua vida.

Com uma caneta e um caderno, ore e peça ao Espírito Santo que fale com você pelas Escrituras. Reflita sobre a porção das Escrituras que você escolheu e, em seguida, dê um passo adiante: escreva em seu caderno como você aplicará as verdades que aprendeu. Qual é seu plano de ação para integrar essas verdades em sua vida? O que você fará nas próximas 24 horas ou nas semanas seguintes para chegar a cuidar dessa semente da verdade plantada em seu coração? Existem maneiras de acompanhar seu progresso?

Quando pensamos em disciplina, geralmente pensamos em algo que não queremos fazer ou até na ideia de punição. Mas o tempo na Bíblia é como a disciplina de uma alimentação saudável. É uma disciplina que refresca e reanima, mesmo enquanto acalma. É um espaço sagrado para buscar o que Deus tem a dizer e para permitir, decididamente, que as palavras dele revitalizem todas as áreas de sua vida. Hoje, seja por cinco minutos ou por uma tarde inteira, comece a prática curadora de estudar as Escrituras e veja como isso a fortalece.

Pai, obrigada por me forneceres tuas palavras. Constrói em mim uma sede de encontrar vida nelas todos os dias.

Eu sou forte

QUANDO PLANTO AS PALAVRAS DE DEUS EM MEU CORAÇÃO E AS REGO COM ORAÇÃO, CUIDADO E INTENÇÃO.

7

SEMEADURA E COLHEITA

Pois o que o homem semear, isso também colherá. Quem semeia para a sua carne, da carne colherá destruição; mas quem semeia para o Espírito, do Espírito colherá a vida eterna.

GÁLATAS 6:7,8

É a lei de semeadura e colheita. Quando plantamos as coisas certas, colhemos o inimaginável. As sementes das Escrituras produzem uma colheita forte e nutritiva.

Anos atrás, eu plantei passagens das Escrituras em meu coração na esperança de que produzissem uma colheita de retidão. Um de meus versículos favoritos encontrava-se no livro de Tiago: "Entendam isto, meus amados irmãos: estejam todos prontos para ouvir, mas não se apressem em falar nem em se irar" (1:19, NVT).

Eu estava modelando exatamente o oposto desse comportamento. Eu era pronta para falar, apressada para ouvir e apressada para me irar! Não acertava em uma área sequer.

Recrutei a ajuda de Deus para a minha boca. Conforme Davi orou, minha oração se tornou: "Coloca, Senhor, uma guarda à minha boca; vigia a porta de meus lábios" (Salmos 141:3).

Esse guarda fica postado de modo que as palavras erradas não escapem e causem danos. Aprendi que o Espírito Santo tomará as Escrituras que estiverem em meu coração e as apresentará na hora certa. Isso funciona como um alerta antes que as palavras erradas escapem.

A ciência nos diz que leva 21 dias para se quebrar um hábito. Hábitos são fortes. São as respostas que temos sem pensar. Houve um tempo em que a raiva tornara-se um hábito na minha vida. Imaginar 21 dias sem uma infração era impossível. Podia muito bem ser 21 anos! A raiva estava muitíssimo arraigada em mim.

Bem, como você quebra um hábito? Você o quebra do mesmo modo que o desenvolveu. Um incidente por vez, cinco minutos de cada vez, uma hora por vez, um dia de cada vez. Essa foi a abordagem que adotei para quebrar o ciclo da raiva. Antes mesmo de rolar para fora da cama, eu orava: "Deus, eu preciso de ti hoje. Coloca um guarda extremamente impiedoso e severo sobre minha boca. Eu não quero pecar contra ti ou qualquer um outro. Ajuda-me a não ter pressa para falar, a ser pronta para ouvir e a demorar para me irar." Esses lembretes das Escrituras tornaram-se minha oração e força diárias.

Não vou mentir e dizer que foi fácil; não foi. Mas posso dizer que, com Deus, todas as coisas são possíveis. Agora, eu vivo há mais de duas décadas livre do domínio da raiva. Essa foi minha maravilhosa colheita, plantando duas pequenas sementes das Escrituras e agindo com base nelas.

O que você vai plantar em seu coração hoje? O que você quer colher? Pesquise sementes na Palavra, plante-as, e Deus dará o crescimento.

Deus, mostra-me as passagens das Escrituras que preciso semear em minha alma. Eu creio que, se semear e agir com base nelas, com fé, tu darás a colheita.

Eu sou forte
PORQUE PLANTO A PALAVRA DE DEUS EM MEU CORAÇÃO E AJO COM BASE NELA.

8

A FORÇA DO DESCANSO

No sétimo dia Deus já havia concluído a obra que realizara, e nesse dia descansou.
GÊNESIS 2:2

Quando surge a questão do sábado, muitas de nós sentimos uma pontada de culpa. Como mulheres, raramente temos um alívio das sempre presentes necessidades que demandam nossa atenção. Somos zombadas pelas pilhas de roupa e constantemente lembradas de nossas listas de tarefas que estão fora de controle. Nós temos uma família que legitimamente precisa que estejamos ativas. Até mesmo conseguir que a família inteira esteja pronta para ir à igreja é um trabalho! Não é que desejemos ignorar o quarto mandamento ("Lembra-te do dia de sábado, para santificá-lo", Êxodo 20:8); simplesmente não achamos que podemos nos dar ao luxo de descansar. Em última análise, é uma questão de confiança. Ficamos preocupadas que, se pararmos — se descansarmos —, Deus não será capaz de cuidar de nós.

Realmente, o conceito de um dia de descanso (*sabbath*) é um convite à saúde e à restauração. Com muita frequência, o domingo não é um dia de descanso para mim, por isso aprendi a capturar um *sabbath* de outras maneiras. Até Jesus convidou seus discípulos a fazerem uma pausa no ministério: "Venham comigo para um lugar deserto e descansem um pouco" (Marcos 6:31). Ele sabia que, se continuassem a se exaurir, não teriam serventia para ninguém no ministério e sofreriam. Aprendi da maneira mais difícil que, quando estou cansada, não sou capaz de tomar boas decisões. Quando me sinto sobrecarregada, digo "não" às coisas para as quais deveria dizer "sim", e digo "sim" às quais deveria dizer "não". Depois, viver com essas más decisões esgota-me ainda mais.

Por que não se permitir aceitar o convite do Senhor para descansar? Escolha um dia, metade de um dia ou mesmo algumas horas (nem precisa ser domingo) e reserve isso para a restauração de seu corpo e de sua alma. Seja intencional, planeje com antecedência, desligue o telefone, feche o *laptop* e diga de antemão às pessoas que você estará fora do radar, desfrutando da vida. Esse é um ótimo momento para rir com os filhos, curtir os amigos ou aproveitar o tempo com o marido. Saia para comer ou cozinhe no dia anterior. Pare de repassar a lista de tarefas. Feche a porta da lavanderia. Deixe de lado qualquer trabalho que você tenha trazido do escritório para casa. Tudo será feito, só que não hoje. Aproveite seu dia de descanso vindo de Deus. Use esse período de tempo para proteger, nutrir e guardar seu coração. Depois estará renovada para a obra que Deus tem para você.

Quando estiver no trabalho, trabalhe — diligentemente e da melhor maneira que conseguir —, e, em seu tempo de descanso, descanse! Aceite o convite de Deus para descansar como uma chance de reiniciar.

Senhor, eu não quero exaurir-me. Mostra-me como equilibrar o trabalho e o descanso da maneira como deveria, a fim de conseguir ter um verdadeiro sabbath.

Eu sou forte

QUANDO DESCANSO, CONFIANDO QUE DEUS ESTÁ, AO FIM E AO CABO, NO CONTROLE.

9

EMBAIXADORA DE DEUS

Vocês, porém, são geração eleita, sacerdócio real, nação santa, povo exclusivo de Deus, para anunciar as grandezas daquele que os chamou das trevas para a sua maravilhosa luz. Antes vocês nem sequer eram povo, mas agora são povo de Deus; não haviam recebido misericórdia, mas agora a receberam.

1PEDRO 2:9,10

Nas Olimpíadas, os vencedores são reconhecidos e adornados com uma medalha, e a bandeira de sua nação é colocada sobre seus ombros, para designar o país que cada participante representa. O que aconteceria se, no meio da cerimônia de premiação, uma ginasta norte-americana medalhista de ouro decidisse representar o Canadá? Eles a deixariam? Claro que não! Ela foi escolhida como embaixadora dos Estados Unidos da América, não do Canadá; ela está lá para representar e inspirar a cultura e as pessoas americanas.

De muitas formas, é o mesmo para nós. Somos representantes e embaixadoras dos céus. Estamos aqui para deixar naqueles que encontramos uma impressão que comunica quem somos e que reino representamos. O apóstolo Paulo nos chama de "embaixadores de Cristo" (2Coríntios 5:20). E Pedro chama o povo de Deus de "sacerdócio real". Carregamos a honra de sermos embaixadoras e parte da família real de sacerdotes. Por que sequer desejaríamos trocar nossa lealdade e representar um reino que não é de nosso Pai? Pedro continua:

Antes vocês nem sequer eram povo, mas agora são povo de Deus; não haviam recebido misericórdia, mas agora a receberam. Amados, insisto em que, como estrangeiros e peregrinos no mundo, vocês se abstenham dos desejos carnais que guerreiam contra a alma. Vivam entre os pagãos de maneira exemplar para que, mesmo que eles os acusem de praticarem o mal, observem as boas obras que vocês praticam e glorifiquem a Deus no dia da sua intervenção. (1Pedro 2:10-12)

Outrora não éramos de Deus, mas agora somos. Outrora estávamos sob o juízo de Deus; agora experimentamos sua misericórdia. Em outras palavras, outrora estávamos neste mundo e sob sua sentença de juízo, mas agora não somos deste mundo; nós somos do Reino de Deus. Isso nos torna forasteiras e estrangeiras nesta terra, onde outrora éramos cidadãs. Como sacerdotes, somos representantes e embaixadoras de Deus nesta terra.

Hoje, ao fazer suas escolhas, ao agir e reagir, lembre-se de quem é o pódio sobre o qual você está. Viva "de maneira exemplar", para que outros glorifiquem a Deus e se unam a nós no erguer da voz em um poderoso hino de louvor.

Senhor, eu tenho muito orgulho de ser uma embaixadora para ti.
Que minha vida e minhas ações reflitam tua bondade e graça.

Eu sou forte
PORQUE REPRESENTO UM REINO DE GLÓRIA, UM SACERDÓCIO REAL, COROADA COM A MISERICÓRDIA DE DEUS.

Forte na liberdade

1
LIBERTA DO PECADO

Jesus respondeu: "Digo-lhes a verdade: Todo aquele que vive pecando é escravo do pecado. O escravo não tem lugar permanente na família, mas o filho pertence a ela para sempre. Portanto, se o Filho os libertar, vocês de fato serão livres."

JOÃO 8:34-36

Quando o Filho nos liberta... somos de fato livres. O que essa palavra "de fato" quer dizer? Significa "sem dúvida, verdadeiramente e com certeza". As pessoas podem questionar se você tem direito à liberdade. Seu passado pode tentar envergonhá-la, levando-a de volta aos confins de seus erros. Mas, no que diz respeito a Deus, a influência do pecado e da vergonha em sua vida acabou. As pessoas podem ainda jogar pedras em você, mas as palavras de Jesus ressoam sobre o pecado em sua vida. "Declarou Jesus: 'Eu também não a condeno. Agora vá e abandone sua vida de pecado'" (João 8:11).

Uma vez que confessamos, é hora de seguir em frente e deixar para trás o pecado, a vergonha, as acusações de outros e a consciência culpada do eu. À medida que saímos de nossas trevas para a luz do Senhor, somos fortalecidas para ir e não pecar mais. Se Deus diz que você não está condenada, você está livre para andar nessa verdade. Nesse assunto, você não pode confiar em seus sentimentos, porque eles lhe mentirão. Nunca nos sentiremos justas, porque em nós mesmas não há retidão. Não somos a justiça de Deus por meio de nossas obras ou nosso comportamento, mas somente em Cristo. Isso nos habilita a afastar-nos das falhas e dos erros do passado e a seguir em frente. "Esqueçam o que se foi; não vivam no passado" (Isaías 43:18).

Nosso hoje não está mais atado às nossas falhas de ontem. Somos livres para entrar em um novo modo de vida, purificadas por uma misericórdia que se renova a cada manhã.

Pai Celeste, eu abraço tua misericórdia. Permitirei que tu triunfes sobre todas as áreas de juízo em minha vida. Eu deixo este lugar de culpa e autodepreciação. Levanto-me e sigo, para não pecar mais.

Eu sou forte
PORQUE O JUIZ SUPREMO ME LIBERTA DE TODA CULPA E VERGONHA.

2
UM NOVO CORAÇÃO

Darei a vocês um coração novo e porei um espírito novo em vocês; tirarei de vocês o coração de pedra e lhes darei um coração de carne.
EZEQUIEL 36:26

Como cristãs, tentamos constantemente manter um coração terno ou, como a Bíblia chama, "um coração de carne". Esse é um coração que cresce em compaixão, amor e sensibilidade à condução de Deus. O céu governa por um código sagrado de amor escrito em nosso coração. Regras mortas e sem vida gravadas em pedra são para corações mortos e duros. A lei da liberdade é para corações tenros de carne, em lugar de corações duros de pedra.

Devo adverti-la, entretanto: corações tenros têm uma capacidade para amar e sofrer maior do que corações rochosos. Se permitida, a mágoa pode endurecer nosso coração, e, se não tomarmos cuidado, ela lentamente, mas com certeza, substituirá as coisas de Deus em nossa vida. Sentir-se pesada e drenada é um sintoma disso. Um coração pesado acha cada vez mais difícil perdoar os outros. É exaustivo viver à beira da amargura ou do ressentimento.

A boa notícia é que mesmo o coração mais duro pode ser liberto pela verdade da Palavra de Deus. Eu descobri ódio em meu coração mesmo depois de me tornar cristã. Escolhi não permitir que ele permanecesse. O seu coração exige vigilância, para garantir que permaneça livre de ofensas não resolvidas — livre de raiva, ódio, inveja ou outros pecados que tão facilmente nos enredam. Uma maneira de protegê-lo é expondo-o continuamente à verdade. Isso demanda trabalho, humildade e honestidade. Mas seu coração é algo pelo qual vale a pena lutar.

Agora mesmo, talvez haja uma guerra de raciocínio em sua mente. Um lado traz os nomes daqueles que a feriram, implorando-lhe que os perdoe e os liberte. O outro lado argumenta que você tem justificativa para seu ódio ou ressentimento por eles. Renda-se à primeira voz. Não imagine que um coração duro vai protegê-la... Não vai.

Pai, eu confesso qualquer dureza de coração. Quebra qualquer casca externa com a rocha da tua Palavra, a fim de que um coração de carne seja revelado.

Eu sou forte
PORQUE GUARDO MEU CORAÇÃO, PARA MANTÊ-LO SUAVE E ABERTO À VOZ DE DEUS.

3
O PODER DA CONFISSÃO

Portanto, confessem os seus pecados uns aos outros e orem uns pelos outros para serem curados. A oração de um justo é poderosa e eficaz.
TIAGO 5:16

A confissão é uma das disciplinas espirituais mais difíceis. Por que ela é necessária? Nós sabemos que somos perdoadas ao confessar nossos pecados ao Pai. Mas o livro de Tiago leva a um passo adiante e nos diz que é necessário confessarmos alguns pecados uns aos outros e orarmos uns com os outros a fim de sermos curados. Creio que isso seja verdade por três motivos.

Em primeiro lugar, o Reino não opera segundo princípios naturais. Lembre-se, Jesus disse aos fariseus que qualquer que olha para uma mulher com lascívia cometeu adultério com ela em seu coração. As questões do coração são de extrema importância no Reino. Nosso coração é uma incubadora de sementes boas ou ruins. No caso dos fariseus, o pecado não acontecia realmente de modo físico, mas ocorria no coração.

Em segundo lugar, quando nos humilhamos, confessamos nossos pecados e oramos com nossos irmãos cristãos, nós nos posicionamos para a cura. A cura flui para os recônditos de nosso coração quando trazemos o pecado para um ambiente aberto e seguro. A confissão lança luz sobre áreas de pecado e vergonha, e, nessa atmosfera de luz, a oração começa a curar e a restaurar.

O terceiro motivo é que a confissão nos dá um nível de prestação de contas. Com a confissão vem a responsabilidade. A Palavra nos diz: "Leais são as feridas feitas pelo que ama" (Provérbios 27:6, ARA). Quando confesso, não preciso de simpatia; eu preciso de alguém que me fira com a verdade. E, depois de orarmos juntos, eu sinto um fardo de vergonha saindo dos meus ombros.

Mas resta a questão dos hábitos. Jesus diz em Mateus 16:24: "Se alguém quiser acompanhar-me, negue-se a si mesmo, tome a sua cruz e siga-me." A confissão é outra maneira de tomar nossa cruz, reconhecendo nossa total dependência de Deus. Negamos a nós mesmas o direito de nos consertar ou de quebrar por nós mesmas os ciclos de pecado. A disciplina da confissão mostra que sabemos não conseguir fazê-lo sozinhas. Mas, com a ajuda de Deus e a ajuda de nossa família, nós começamos a curar.

Pai, mostra-me a cura que vem com a confissão. Conduz-me às pessoas certas e me faz honesta, corajosa e aberta o bastante para tomar minha cruz dessa maneira. Eu quero seguir-te e reconheço que não consigo fazê-lo por mim mesma.

Eu sou forte

QUANDO TOMO MINHA CRUZ, MANTENDO PRESTAÇÃO DE CONTAS E RESPONSABILIDADE.

4

LIVRE DO PECADO

Ela nos ensina a renunciar à impiedade e às paixões mundanas e a viver de maneira sensata, justa e piedosa nesta era presente, enquanto aguardamos a bendita esperança: a gloriosa manifestação de nosso grande Deus e Salvador, Jesus Cristo. Ele se entregou por nós a fim de nos remir de toda a maldade e purificar para si mesmo um povo particularmente seu, dedicado à prática de boas obras.

TITO 2:12-14

Essa é uma grande notícia! O pecado não tem mais nenhum poder real sobre nós. Não importa quantas vezes dissemos "sim" para o pecado no passado; ele não tem lugar no nosso futuro. Temos todo o direito de dar as costas e dizer "não" quando o pecado tenta seduzir-nos ou nos aprisionar com a vergonha! Jesus quebrou seu poder, estendeu-nos misericórdia e nos habilitou a viver pela graça de Deus. Em Cristo, não recebemos o juízo que merecemos, porque ele levou nossos pecados sobre si. Somos perdoadas e nascemos de novo, saímos da morte para a vida. Amadas filhas, o inimigo de sua alma não quer que você saiba disso. Ele quer que você permaneça na vergonha, na esperança de enredá-la novamente no pecado. Ele não quer deixá-la saber que você tem domínio sobre o pecado, mas é verdade. Certamente, em nossas próprias forças, nós tentaremos e fracassaremos, mas não estamos mais sozinhas em nossas batalhas. Nós estamos no Senhor, e nossas armas são poderosas!

Jesus, obrigada por destruíres o poder do pecado. Eu rejeito as mentiras do inimigo e me afasto delas, indo em tua direção. Tua morte deu-me tudo de que preciso para vencer esta batalha.

Eu sou forte
PORQUE CRISTO ME DÁ PODER SOBRE O PECADO.

5

QUANDO DÓI DEMAIS

Ele enxugará dos seus olhos toda lágrima. Não haverá mais morte, nem tristeza, nem choro, nem dor, pois a antiga ordem já passou.
APOCALIPSE 21:4

Quero encorajá-la a liberar sua dor. Você pode perguntar: "Como alguém deixa a dor para trás?" Você poderia contestar, dizendo que eu não entendo a sua dor nem sei o que foi feito a você ou o quanto foi ferida. E estaria certa. Eu não sei, mas há alguém que sabe. Existem mais feridas do que é possível listar. Com certeza, sei que algumas de vocês foram molestadas ou abusadas por alguém em quem confiavam. Algumas foram estupradas ou violentadas por um estranho. Talvez você tenha sido abandonada por alguém que prometeu estar sempre presente. Talvez seu filho tenha sofrido uma morte violenta ou sem sentido. Alguém que você amava maltratou-a. Seus pais a rejeitaram e você nunca se sentiu boa o suficiente. Muitíssimas foram zombadas pela cor da pele. Outras foram escarnecidas por uma deficiência. E, infelizmente, a maioria de nós foi traída por um amigo ou uma amiga.

Qualquer dessas tragédias, e outras que não listei, é dolorosa o bastante para nos ferir de modo profundo. Assim, quando estamos em nosso estado mais vulnerável, Satanás semeia em nossa alma ferida palavras de amargura e pensamentos de vingança. Ele nos encoraja a repassar mentalmente a ferida e a relembrar a dor. Quer que a apertemos firmemente contra o peito e jamais a liberemos. Ele mente ao prometer que mantê-la nos protegerá de futuras violências. Mas isso é mentira.

Há cura em liberar sua dor para Jesus, o único que verdadeiramente entende. O livro de Isaías nos diz que Jesus "foi transpassado por causa das nossas transgressões, foi esmagado por causa de nossas iniquidades; o castigo que nos trouxe paz estava sobre ele, e pelas suas feridas fomos curados" (Isaías 53:5).

Agarrar-se à sua dor só vai machucar mais você. Quero que feche os olhos e se imagine dando a Jesus toda a sua dor. Ele não menosprezará o que foi feito a você. Libere-a e permita que ele leve embora a dor e a redima.

Jesus, eu creio que tu és minha cura, por isso posso confiar a ti cada fragmento de dor. Eu me recuso a carregar o que não fui projetada para segurar. Eu libero [nomeie as áreas de dor] aos teus cuidados. Redime cada uma dessas áreas para a tua glória.

Eu sou forte
PORQUE DOU MINHA DOR AO MEU CURADOR.

6

FIRME NA LIBERDADE

Foi para a liberdade que Cristo nos libertou. Portanto, permaneçam firmes e não se deixem submeter novamente a um jugo de escravidão.
GÁLATAS 5:1

Uma vez que somos livres, é um desafio crer que somos verdadeiramente livres — para sempre. Nossa cultura e o cativeiro da religião farão seu melhor para escravizar-nos de novo. Eles querem que usemos novamente o "jugo da escravidão" — deixando que sejamos arrastadas para baixo pelo pesado e persistente fardo que nos amarra à vergonha e aos pecados que outrora nos escravizaram. A liberdade acontece tanto de uma só vez quanto com o passar do tempo. Jesus liberta-nos quando lhe entregamos nossa vida — e essa liberdade é nossa, podemos reivindicá-la. Assim, com o passar do tempo, exercitamos continuamente essa liberdade ao permanecermos firmes contra o pecado que outrora nos sobrecarregava — ao rejeitarmos o jugo de tentar ser perfeitas por nossas próprias forças.

Assim sendo, permaneça firme e forte em sua liberdade! Posicione-se contra qualquer culpa e vergonha que tentem seduzi-la à depressão da derrota ou de volta a um viver de pecado. Posicione-se contra todas as sombras de vergonha passada que contestem seu direito de dizer "não" aos padrões caídos. Talvez no passado você tenha tido dificuldade em dizer "não" por causa de culpa e vergonha — mas você está liberta de seu passado, e seu futuro é brilhante e livre!

Por causa da liberdade e da gloriosa esperança que Cristo nos dá, não temos razão para temer a volta de nosso Senhor e Salvador, pois ele nos redimiu da perversidade e nos fez suas. Antes, ansiávamos fazer o mal... Agora, ansiamos fazer o bem! Quando realmente nascemos de novo, nossos desejos naturais mudam. Deus nos perdoa e, então, muda nossa natureza, com as palavras: "Vá e não peque mais." Não é um pré-requisito para o perdão — o perdão já foi estendido. É um voto de confiança e uma crença de que coisas melhores virão.

As palavras de Jesus poderiam ser parafraseadas desta forma: "Eu não a condeno. Eu perdoo e liberto você da sentença e do juízo do pecado. Agora vá e não peque mais. Você está livre!" (João 8:11). Nós jamais poderíamos merecer a misericórdia que nos foi estendida, assim como jamais poderíamos, sem a graça de Deus, andar em piedade e dizer "não" ao pecado e à paixão mundana. O pecado não tem mais direito sobre nossa vida, porque "foi para a liberdade que Cristo nos libertou."

Senhor, eu sou tão grata por serem meus o teu perdão e a tua redenção! Mostra-me como exercitar minha liberdade, ajudando-me a ficar longe das coisas que escravizam.

Eu sou forte
PORQUE CRISTO ME LIBERTOU. A EVIDÊNCIA DESSA LIBERDADE AUMENTA EM MINHA VIDA TODOS OS DIAS.

7
NÃO ESCRAVA

Portanto, irmãos, não somos filhos da escrava, mas da livre.
GÁLATAS 4:31

Quando eu era criança, meu pai raramente se conectava comigo — a não ser para expressar seu orgulho pelo fato de eu ser durona. Seus apelidos carinhosos para mim eram "tigresa" e "pequena brigona". De alguma forma, vestidos e coisas femininas não combinavam com essas imagens. Eu estava determinada a nunca ser uma bobinha ou uma garota menininha.

Então, em um sábado, na época de escola, enquanto assistia a um filme, encontrei a imagem de uma mulher com a qual me identifiquei. Não havia nada de babados ou rendinhas nela. Sua vida era uma aventura empolgante. Ela era uma das belas da elite de Bond (o James Bond). Eu definitivamente ficava mais confortável com a imagem de garotas vestindo *shorts* curtos, carregando armas e correndo com os caras. Aquelas mulheres conseguiam ganhar espaço no meio dos homens, e ninguém ousava mexer com elas. Elas não esperavam que um homem as protegesse; faziam-no por si mesmas.

Mas eis o problema quanto às garotas de Bond: se bem me recordo, pelo menos uma dessas mulheres era morta em cada filme do 007. Ao final, James sempre dormia com a viva que restava, mas eles nunca mais eram vistos juntos. Ele seguia para sua próxima aventura, elas não. Sempre havia outra beldade a perseguir quando ele terminava com as anteriores. Acho que elas eram verdadeiramente *bondwomen**, escravizadas por um sistema que não conhecia seu valor.

---

* Um trocadilho, que pode ser traduzido tanto como "mulheres de Bond" quanto como "mulheres escravas". [N. do T.]

Sei que essa mulher durona, valentona e sexualmente confiante pode parecer, à primeira vista, corajosa, mas não é. Todas as *bondwomen* têm medo, em um ou outro nível, especialmente se não estiverem no controle. (Por que você acha que elas carregam armas?) Muitas delas nunca receberam dos pais a proteção e o amor de que precisavam quando eram pequenas, então decidiram cuidar do assunto por si mesmas. Outras foram amadas e cuidadas, mas deram ouvidos a uma cultura que as encorajava a confiar na própria capacidade de se proteger, em vez de em Deus. Mas, ao final, todas as *bondwomen* se veem alienadas do grupo. Só porque uma mulher é sexualmente desejável não significa que seja livre.

Nossa cultura nos dá mais oportunidades de nos relacionarmos com a filha em cativeiro do que com a mulher livre. Mas não precisamos escolher entre esses dois "tipos", interpretando a fêmea florida desmaiada ou a sedutora agressiva. Deus criou as mulheres com tantas opções brilhantes e incontáveis quanto são as filhas. Não acredite na mentira de que você está limitada a algum estereótipo criado pelos homens. Nós somos filhas do Rei, não *bondwomen*, que precisam confiar em coisas que, ao fim e ao cabo, vão desapontá-las. E, como suas filhas, nós somos livres para ser quem somos, sabendo que somos amadas de modo pleno e único.

Pai, quero abraçar tudo aquilo que tu me fazes ser. Quando eu for tentada a desempenhar um papel menor, faz-me lembrar de quem realmente sou.

Eu sou forte

PORQUE NÃO ESTOU LIMITADA A UMA IMAGEM FICTÍCIA DE MULHER; SOU UMA FILHA DO DEUS VIVO.

8
FEITA NOVA

Portanto, se alguém está em Cristo, é nova criação. As coisas antigas já passaram; eis que surgiram coisas novas!
2CORÍNTIOS 5:17

Quando Cristo torna-se nosso Salvador e Senhor, o castigo eterno de nossos pecados é removido para tão longe de nós quanto o Oriente está do Ocidente (Salmos 103:12). O pecado não tem mais domínio nem bases legais para manter o seu espírito em cativeiro. Você é liberta. No entanto, liberdade e perdão não erradicam as consequências práticas ou naturais do pecado. Se eu cometer um crime e for sentenciada à prisão e depois for salva, meu espírito estará livre, mas meu corpo continuará indo para a cadeia. Não significa que não fui perdoada. Significa que busco a sabedoria do Senhor ao lidar com minhas realidades.

Você pode perguntar-se, então, como esta verdade se aplica: fui perdoada e me tornei uma nova criatura. As coisas antigas passaram, e surgiram coisas novas para mim. Essa verdade está sendo trabalhada em nós. Somos perdoadas, e nossos pecados são lavados no momento em que os confessamos. Somos espiritualmente renovadas no instante em que experimentamos a esmagadora misericórdia de Cristo. Mas isso não significa que minhas escolhas anteriores não terão mais nenhum efeito sobre mim. Não sou mais culpada nem estou sob juízo eterno, mas algumas consequências permanecem.

A fim de argumentar mais um pouco, e se eu tivesse engravidado durante meus dias de solteira desenfreada? Teria sido uma boa chacoalhada, com certeza. E se eu me tornasse cristã depois de engravidar? O bebê desapareceria? Não, claro que não! A presença de uma criança não negaria de forma alguma o perdão dos meus pecados, assim como o perdão dos meus pecados não apagaria a existência da criança. O bebê não é um pecado. Ele é o resultado das escolhas que eu fiz. A criança seria amada e celebrada como um presente, mesmo que a concepção tivesse ocorrido fora da aliança de casamento.

Deus está no negócio de redenção dos nossos erros, percalços e pecados. Os milagres nem sempre se parecem com aquilo que esperamos, e coisas belas podem ser construídas de cacos. Nada é impossível para Deus, mas, quando o coração está partido, ele se torna a primeira preocupação do Senhor. Ele tira o coração rochoso partido e o substitui por um coração tenro de carne. Nós podemos confiar nele quando diz que estamos sendo feitas novas.

Senhor, mostra-me a diferença entre perdão eterno e consequências naturais. Eu confio em tua capacidade de me tornar completa de todas as formas que importam.

Eu sou forte
QUANDO CONFIO NA CAPACIDADE DE DEUS EM REDIMIR MINHAS REALIDADES.

9

LIVRE PARA SER DELE

Eu sou o Senhor, *o Deus de vocês, que os tirou da terra do Egito para dar-lhes a terra de Canaã e para ser o seu Deus.*
LEVÍTICO 25:38

Quantas de nós já ouvimos a pergunta: "Se morresse hoje à noite, você sabe com certeza para onde iria?" O objetivo da questão é fazer a audiência se perguntar: "Será que eu tenho certeza de que vou para o céu?" Caso a resposta seja não, ela terá a oportunidade de orar e assegurar sua posição eterna. Mas a eternidade é mais do que um destino após a morte; é um modo de vida agora. O versículo a seguir revela o desejo e o propósito mais profundos de Deus ao libertar Israel do Egito: "Vocês viram o que fiz ao Egito e como os transportei sobre asas de águias e os trouxe para junto de mim" (Êxodo 19:4).

Eu amo a beleza e o poder desse texto. O Rei Todo-poderoso dos céus arremeteu-se para valentemente resgatar seus filhos, após quatrocentos anos de escravidão. No processo, ele atingiu o Egito, a nação mais poderosa do mundo, e o reduziu a humilhantes ruínas. Os escravos israelitas recebem a prata e o ouro dos egípcios.

Esse não era o desejo dele apenas para Israel; é o desejo dele para você.

Nosso Deus apaixonado e santo está perseguindo você! Ele está esperando e aguardando que você olhe na direção dele. Anseia que você leia os recados de amor que ele teceu nas Escrituras, na esperança de que você responda positivamente às suas investidas. O Senhor quer libertá-la do cativeiro de um mundo aprisionado em trevas, para a vida em seu mundo de luz. Ele almeja arrebatá-la dos braços de amantes infiéis e trazê-la para seus braços fiéis e eternos. Ele quer libertá-la dos duros capatazes e da cruel servidão deste mundo, a fim de lhe mostrar seu tenro amor e misericórdia.

O resgate nunca disse respeito apenas a uma terra prometida; dizia respeito àquele que fez a promessa. Ele, no final das contas, quer trazer-nos para si. As promessas no Antigo Testamento eram meramente um prenúncio do que estava por vir. O objetivo final e máximo de Deus na salvação era restaurar seus filhos para si mesmo. Amada, a redenção é muito mais do que um seguro contra incêndio!

Quem não deseja ser arrebatado da crueldade deste mundo e levado para o monte de Deus? Afinal, este mundo não é nosso lar, por isso é simplesmente justo que alimentemos esse desejo. Todas nós deveríamos acolher com alegria a fuga da servidão e do juízo, mas a salvação não para por aí. Sejamos assertivas em nos tornarmos dele.

Pai, obrigada por me libertares, a fim de que nada me impeça de ser tua. Eu escolho seguir em busca da promessa de te conhecer.

Eu sou forte
PORQUE FUI RESGATADA PARA SER DO SENHOR.

Forte na santidade

1
NÃO DESTE MUNDO

Todavia, vocês não são do mundo, mas eu os escolhi, tirando-os do mundo.
JOÃO 15:19

Jesus deixa claro que este mundo não nos possui. Como essa realidade deve funcionar para conseguir entrar em nossa conduta? Este mundo — e, mais especificamente, sua cultura — nos encoraja a estarmos submetidas ao seu comportamento. Mas não pertencemos mais à nossa cultura; nós estamos em um relacionamento com pessoas e com Deus. Somos chamadas a ser diferentes de nossa cultura, amáveis quando ela própria é odiável e gentis quando ela é cruel. Essa diferença também se estende à nossa bússola moral. O livro de Efésios nos dá nosso verdadeiro norte: "Entre vocês não deve haver nem sequer menção de imoralidade sexual como também de nenhuma espécie de impureza e de cobiça; pois essas coisas não são próprias para os santos" (5:3).

Não há área cinzenta nesse versículo. Por que tão estrito? Creio que seja porque qualquer mera sugestão diferente poderia enviar mensagens ambíguas, que podem ser confusas para outras pessoas. Por sermos de Deus, nós o honramos em tudo o que dizemos e fazemos. Isso significa que as palavras que falamos e nossa conduta devem refletir sua influência em nossa vida. Em Cristo somos mais que perdoadas, somos santas. Nós somos luz onde outrora éramos trevas.

Efésios continua: "Não haja obscenidade, nem conversas tolas, nem gracejos imorais, que são inconvenientes, mas, ao invés disso, ações de graças" (5:4). Paulo acrescenta à lista comportamentos confusos, obscenidades, tolices e fala grosseira.

Nada desse tipo de conversa está de acordo com a piedade, e tudo isso serve apenas para atrapalhar aqueles que estão buscando.

Em lugar de temperar nossa conversa com obscenidades, devemos ser fluentes em gratidão. Dessa forma, mantemos uma atitude de gratidão pelo favor e pela misericórdia de Deus. Só isso já deve ser o bastante para manter algumas de nós conversando por um bom tempo. Em lugar de sermos choronas, queixosas, rudes e grosseiras, podemos imitar nosso Pai, abençoando e liberando vida por meio de nossas conversas. Somos alertadas a não permitir que ninguém nos engane com palavras vazias. Palavras vazias nos tornam insensíveis, levando à complacência: "Vai ficar tudo bem... Não é grande coisa... Todo mundo está fazendo isso..." Se as palavras podem ser vazias, também podem ser cheias. Palavras de vida nos chamam para coisas melhores. Elas lembram que não somos como todas as outras, porque somos filhas do Deus Altíssimo. Nós estamos no mundo, mas não somos dele (João 17:15,16).

Deus, por favor, revela-me a diferença entre o modo de operar do mundo e o teu modo de operar. Eu quero te honrar com minhas palavras e ações, sem nem uma pitada de mais nada.

Eu sou forte
PORQUE OPERO SEGUNDO OS PADRÕES DE DEUS, NÃO DO MUNDO.

2

OBEDECER

Há muitas bênçãos para o homem que ama e obedece ao Senhor, andando sempre nos seus caminhos!

SALMOS 128:1, NBV

Muitas vezes as crianças exemplificam, de uma maneira crua e óbvia, o que os adultos aprenderam a disfarçar. Quando meu segundo filho, Austin, era pequeno, houve um incidente que capta como podemos reagir quando relutamos para obedecer a Deus.

Quando Austin tinha apenas dois anos, alguns amigos dele vieram brincar. Na hora de eles irem embora, decidi dar a cada uma das crianças jujubas de dinossauro, como lembrancinha de despedida. Coloquei uma quantidade generosa de jujubas de dinossauro na mão de Austin, para ele distribuir. Conforme ia saindo pela porta, cada criança pegava algumas jujubas, mas, quando Austin ficou com as duas últimas, ele fechou o punho com força. Havia uma última garota esperando. Eu o incentivei:

— Austin, tem mais um monte no pacote. Dê a ela essas duas.

Sua única resposta foi correr fugido para trás da caixa de correio, enquanto balançava a cabeça negativamente. Ele não ia ceder.

Corri de volta para casa e ofereci à garotinha os doces do pacote. Eu acenava um tchau aos meus amigos e a seus filhos, enquanto tentava arrancar meu filho da caixa de correio.

Uma vez dentro de casa, as coisas pioraram. Tirei as jujubas suadas e amassadas da mão do meu filho, então mandei Austin para o quarto até que ele se acalmasse.

— Eu não vou para o meu quarto! — declarou ele, saindo da cozinha batendo o pé.

— Você vai, sim — retruquei calmamente, permanecendo na cozinha.

Essa conversa se repetiu várias vezes, mas notei que a voz dele vinha de mais e mais longe. Ele estava avançando aos centímetros em direção ao quarto! Após cerca de quinze minutos, ouvi-o dizer enfaticamente:

— Eu não vou dormir. Não vou tirar uma soneca!

Então veio o silêncio. Mais tarde, subi as escadas e o encontrei dormindo em sua cama.

Em algum nível, Austin sabia que estava errado e até sabia o que precisava. Foi por isso que ele decidiu tirar uma soneca. Por que o protesto exaustivo? Por que ele lutou tanto?

Bem, por que algumas de nós lutam tanto com a obediência? Apesar de estarmos cansadas, creio que em geral seja a mesma razão pela qual meu filho lutou. Ele viu sua pilha de jujubas diminuindo e se sentiu abusado.

Honestamente, eu me reconheci nele. Tenho lutado com os mesmos sentimentos de frustração que não sei como expressar em palavras. É a mesmíssima razão pela qual fiz declarações tolas de independência, como que dizendo: "Deus, eu vou obedecer, mas apenas sob protesto e quando eu estiver pronta."

À medida que amadurecemos, aprendemos a não ter um piti ou reagir por egoísmo, mas a confiar que Deus sabe o que é melhor para nós. É muito menos cansativo fazer a coisa certa logo de cara do que fazê-la da maneira mais difícil.

Senhor, quando eu não quiser obedecer, ensina-me a não reagir, mas a chegar-me a ti em primeiro lugar, não em último caso.

Eu sou forte
QUANDO OBEDEÇO SEM RELUTAR.

3

FEITA SANTA

Mas, assim como é santo aquele que os chamou, sejam santos vocês também em tudo o que fizerem, pois está escrito: "Sejam santos, porque eu sou santo."
1PEDRO 1:15,16

Deus é santo... Assim, somos nós santas. Santidade não é outra tentativa fracassada de sermos boas; é uma revelação de que somos dele. Santidade é mais do que uma descrição de cargo para ministros; é uma ordem a todos que se reúnem diante do Deus santo. Devemos ser santas, porque ele é santo. Não nos é pedido agir como santas ou parecer santas; somos convidadas a *ser* santas. Ser algo significa que isso se torna parte de nossa essência ou força vital. Somos enchidas e guiadas pelo Espírito de Deus, que é santo — o Espírito Santo.

A santidade deve influenciar nossas interações privadas e nosso comportamento público. Podemos agir de maneira santa, mas não sermos santas; podemos parecer santas, mas não sermos santas. Ser algo significa que isso define nossa própria existência.

O que significa ser santo? Esta passagem nos confere algumas ideias: "Porque Deus nos escolheu nele antes da criação do mundo, para sermos santos e irrepreensíveis em sua presença" (Efésios 1:4).

Antes de respirarmos pela primeira vez, nós fomos escolhidas. Estávamos na mente de Deus antes de ele criar a terra. Você foi escolhida por Deus, em Cristo, e foi destinada a ser santa e irrepreensível. Pelo fato de Jesus ser santo e irrepreensível, nós também herdamos sua posição diante do Pai.

Fora de Cristo, éramos estranhas a seu poder e suas promessas. Mas, na cruz, o véu foi rasgado em dois. Tudo o que era contra nós foi pregado na cruz, e fomos feitas um com Deus (Colossenses 2:14).

Ser santa é ser separada — espírito, alma e corpo. Colocando de modo simples: dizer que somos santas é dizer que somos de Deus.

Pai, obrigada por me santificares com teu supremo sacrifício. Tu és santo. Que tudo que eu faça me aproxime de ti em santidade.

Eu sou forte
**PORQUE SOU SANTA
E EU SOU DO SENHOR.**

4

REFINADA PELO FOGO

Veja, eu refinei você, embora não como prata; eu o provei na fornalha da aflição.
ISAÍAS 48:10

Ouro e prata são refinados em fornalhas a temperaturas tão altas, que esses metais se liquefazem. Nesse estado, a escória e as impurezas sobem à superfície e ficam aparentes. O metalúrgico escuma a escória antes de permitir que o metal esfrie e se solidifique. Esse processo pode ser repetido até que o metal esteja livre de contaminantes e ligas que o enfraqueçam.

Deus não nos refina em uma fornalha literal de fogo. Ele tem outras maneiras de realizar nosso processo de refino. Ele usa o forno da aflição. Alguns sinônimos para aflição são dificuldade, problema, adversidade, angústia e provação. Ninguém gosta de aflições, mas é melhor permanecer na rota se quisermos ver o fruto do processo. É importante lembrarmos disso, porque, quando enfrentamos provas, não é uma questão de "se", mas "quando".

"Quando você atravessar as águas, eu estarei com você; quando você atravessar os rios, eles não o encobrirão. Quando você andar através do fogo, não se queimará; as chamas não o deixarão em brasas" (Isaías 43:2).

As aflições da vida podem parecer-se muito com inundações e chamas. Nenhuma de nós recebe um passe que permita evitar esses testes, mas nos é prometido que eles são só por um tempo. Passamos por essas dificuldades quando nos recusamos a deixar que elas nos dominem. Nosso Pai sabe o que está fazendo, e o processo de refino significa que sairemos mais fortes do outro lado.

No final das contas, Deus está mais preocupado com nossa condição do que com nosso conforto. Isso significa que ele permitirá que a vida se torne desconfortável para expor nossa verdadeira condição. Com muita frequência, esse refinamento é colocado em marcha por nossas orações. As coisas começarão a esquentar sempre que pedirmos a Deus para remover tudo que o desagrada ou que atrapalha nosso crescimento. As provações ardentes são os meios de revelar tanto nossos pontos fortes quanto os erros de nossos caminhos. Eu desafio você a cantar em meio às chamas e permitir que suas orações de agradecimento subam acima das águas da enchente, pois Deus a está refinando para que se cumpra o propósito dele e para que você seja fortalecida.

Querido Senhor, abra meus olhos para que eu reconheça as adversidades e aflições pelo que realmente são: agentes da minha transformação. Eu sei que tu não me vais abandonar nesse processo de refino, então faz como tu queres.

Eu sou forte
QUANDO DEIXO QUE OS FOGOS DE MINHA VIDA REFINEM E PURIFIQUEM MEU CORAÇÃO.

5

JEJUAR FISICAMENTE

Portanto, submetam-se a Deus. Resistam ao Diabo, e ele fugirá de vocês.
TIAGO 4:7

Jejum é a última palavra em redução de peso da alma. O jejum puramente espiritual é quando você se abstém de um pensamento, de uma ação ou de um hábito. O jejum físico é a prática bíblica de se abster de comida para buscar a Deus.

Que diferença há entre um jejum físico e uma dieta? Uma das principais diferenças é que uma dieta muda o que veem em você, enquanto um jejum muda como você vê as coisas. Um muda o ponteiro da balança, o outro remove escamas dos olhos! O jejum expressa nossa submissão a Deus. Quando paramos e caímos de joelhos em rendição a Deus, o inimigo é dominado com terror e foge! Pelo tempo que ficamos sem nos alimentar com comida, estamos posicionadas para desenvolver nossa fome e sede pelas coisas de Deus. Nosso apetite é transformado quando nos alimentamos da Palavra e nos lembramos da bondade e do amor divinos. O jejum traz consigo uma sensibilidade intensificada, que também serve para enternecer nosso coração.

Se esta for sua primeira vez jejuando, comece com algo simples e saudável, como o jejum de comidas não saudáveis, como farinha branca e açúcar refinado. Você pode ler na internet algo chamado de jejum de Daniel. Ou, talvez, seu jejum signifique pular o almoço. Se você pretende fazer jejum que permita apenas água e tem problemas médicos ou faz uso de medicamentos, consulte um médico primeiro.*

---

* Este livro não pretende fornecer aconselhamento médico ou substituir orientações e tratamento de seu profissional pessoal. Por isso, aconselho que você consulte seu próprio médico ou outros profissionais de saúde qualificados a respeito do jejum, caso tenha alguma dúvida. Se você tiver menos de dezoito anos, não jejue sem discutir o assunto com seus pais primeiro.

Jejuar é negar sua carne. Será desconfortável fisicamente. Espiritualmente, porém, será um momento de celebração, festa e alegria! Ao honrar o Rei, ele a honrará com sua presença. Jejum é um privilégio sagrado, não um castigo.

Em seguida, perceba que essa é, de fato, uma questão de vida ou morte. Você está levando a escravidão à morte.

Não há sentido em abster-se de comida quando você não se entrega a Deus. Reúna tudo o que você precisa com antecedência, a fim de poder apenas descansar durante o jejum. Desligue o telefone, o computador (desligue as mídias sociais) e a TV. Aumente o volume da música de louvor e adoração. É um *sabbath* sagrado, então não trabalhe em outras coisas. Descanse, durma e se achegue a ele. Leia a Palavra, incluindo o livro de Ester e as promessas para o jejum ou outras obras cristãs que desafiam você.

Durante o jejum, você está fortalecendo seu espírito. Mantenha um diário de seus pedidos de oração para esse período. Seja aberta e honesta com seu Pai e registre o que ele mostra a você por meio das Escrituras e da oração.

É tempo de amar, e tenho todos os motivos para crer que o Senhor lhe dará água viva e sustento.

Senhor Deus, enquanto jejuo, aproxima-te de mim. Muda meus apetites e dá-me fome por mais de ti. Vou aquietar-me, crendo que tu falarás. Aumenta minha sensibilidade e expõe as coisas que me entorpeceram.

Eu sou forte
PORQUE, ENQUANTO JEJUO, EU ME BANQUETEIO COM MEU REI.

6

OFERECENDO
O CORAÇÃO

"Agora, porém", declara o Senhor, *"voltem-se para mim de todo o coração, com jejum, lamento e pranto." Rasguem o coração, e não as vestes. Voltem-se para o* Senhor, *o seu Deus, pois ele é misericordioso e compassivo, muito paciente e cheio de amor; arrepende-se, e não envia a desgraça.*

JOEL 2:12,13

A busca de Deus por nós é implacável. Não importa onde estejamos, não importa o que tenhamos feito, ele nos seguirá até os confins da terra. Deus clama a esta geração: "Mesmo agora, quando tudo parece tão desesperador e você se sente tão suja e desamparada. Mesmo agora! Quando todos os outros falharam, e tudo o que você tentou a decepcionou... Eu não vou decepcioná-la. Mesmo agora! Quando parece que já é tarde demais... não é! Volte para mim com todo o seu coração."

Como ele nos busca, tudo o que precisamos fazer é voltar-nos a ele. O Senhor nos convida a sermos razoáveis, a olharmos corajosa e verdadeiramente para nossa condição e percebermos que não é uma bela visão! Nossos pecados não têm um leve tom de rosa... Eles são escarlate berrante. Mas Deus não quer nosso sacrifício carmesim, uma vez que o Príncipe já pagou o preço. Deus almeja lavar-nos. Em lugar de nos alimentar com "comida" vazia, que não satisfaz (as coisas que buscamos neste mundo), ele nos oferece o melhor da terra... se, primeiro, estivermos dispostas e, então, formos obedientes. Dispostas a nos arrepender e a dizer que nos perdemos.

Dispostas a servi-lo com alegria porque ele é bom, fiel e verdadeiro. Dispostas a nos submeter em obediência à sua Palavra, pois é a lei de amor, vida e liberdade. Dispostas a tomar nossa cruz e esconder nossa vida em Cristo, o Verbo feito carne, e seguir seu exemplo. As palavras de Joel nos chamam hoje: "Voltem-se para mim de todo o coração", não importa o estado de seu coração. A batalha sempre foi pelo coração das mulheres, e Deus está pedindo pelo seu, esse partido, machucado e ferido coração. Ele convida você a se afastar dos pesadelos do mundo e a voltar ao sonho dele, porque desde o início dos tempos ele procura por uma noiva... bem assim, como você.

Pai, obrigada por me seguires tão de perto, de modo que tudo o que tenho de fazer é me virar e cair em teus braços. Eu te ofereço meu coração e volto a ti uma vez mais.

Eu sou forte
QUANDO ME VOLTO PARA AQUELE QUE ME BUSCA.

7

TOMANDO A CRUZ

Jesus dizia a todos: "Se alguém quiser acompanhar-me, negue-se a si mesmo, tome diariamente a sua cruz e siga-me. Pois quem quiser salvar a sua vida, a perderá; mas quem perder a sua vida por minha causa, este a salvará. Pois que adianta ao homem ganhar o mundo inteiro, e perder-se ou destruir a si mesmo?"

LUCAS 9:23-25

Deus sempre almejou que fôssemos suas, acima de nossas falhas tentativas humanas de sermos boas. Ele almeja que vejamos além do véu da religião e das obras da carne, e que ousemos nos aproximar pela fé, jamais duvidando de sua bondade. Ele deseja que nós o adoremos em espírito e em verdade, que tomemos nossa cruz diariamente e o sigamos.

O que Jesus quer dizer com tomar nossa cruz? Não é tão fácil quanto colocar um enfeite ao redor do pescoço. É exibir com louvor diariamente, em nosso coração, o fato de sermos sacrifícios vivos para ele. Mas nosso carregar a cruz não para por aí; estende-se a carregar o poder e a promessa do que a cruz concedeu a cada uma de nós em um mundo perdido e moribundo. A cruz transforma tudo.

No Antigo Testamento, os sacerdotes levavam ofertas diárias perante o Senhor. "Salomão passou a sacrificar holocaustos ao SENHOR, conforme as determinações de Moisés [...]" (2Crônicas 8:12,13). Tomar a cruz é nossa oferta diária. Não é uma diretiva dada pela Lei de Moisés, mas vem do próprio Senhor da vida.

Alguns podem argumentar que não precisamos carregar uma cruz, porque Jesus foi o sacrifício final; assim, esse é um trabalho acabado. Nosso carregar a cruz não é um sacrifício pelo pecado. Nenhuma oferta que pudéssemos oferecer conseguiria satisfazer os estatutos escritos contra nós. Somente Jesus fez isso, ao morrer por nossos pecados. A própria vida dele está escondida em Deus, assim como a nossa deve estar escondida na dele.

Não precisamos derramar nosso sangue, pois ele derramou o dele. Mas ser um sacrifício vivo significa viver como ele viveu, morto para o pecado, mas vivo para Deus! Oferecemos a nós mesmas — corpo e alma — a Deus, como instrumentos de justiça.

A misericórdia coloca-nos sob a graça, não sob a lei; e, em resposta a esse presente gracioso, seguimos o exemplo da cruz de Cristo. Diariamente cedemos a Deus e à justiça, e não à carne e à iniquidade. Por um ato da vontade, depositamos nossa vida e apresentamos nosso corpo. Então, com fé, somos atraídas para perto do coração de Deus, abraçando a cruz.

Jesus, obrigada por ires à cruz por mim. Ensina-me o que significa tomar minha cruz e viver em obediência e gratidão a ti.

Eu sou forte
QUANDO CARREGO MINHA CRUZ A CADA DIA, OFERECENDO-ME COMO SACRIFÍCIO VIVO.

8

A PALAVRA DE DEUS

Gravem estas minhas palavras no coração e na mente; amarrem--nas como sinal nas mãos e prendam-nas na testa [...] Escrevam--nas nos batentes das portas de suas casas, e nos seus portões, para que, na terra que o Senhor jurou que daria aos seus antepassados, os seus dias e os dias dos seus filhos sejam muitos.

DEUTERONÔMIO 11:18,20,21

Deus exortou os filhos de Israel a escreverem sua Palavra nos batentes da porta da casa e do coração. Além de entender como meditar ou memorizar as Escrituras, eu tomo isso como um convite para sermos criativas! O povo de Deus certamente o é. Os homens hebreus construíam pequeninas caixas, chamadas filactérios, contendo minúsculos manuscritos das Escrituras, e literalmente as amarravam à testa, para lembrá-los de obedecer à lei. A mezuzá judaica significa literalmente "batente da porta", e é uma linda caixa com inscrição pendurada sobre a porta de uma casa, contendo um pergaminho com as palavras: "Ouça, ó Israel: O Senhor, o nosso Deus, é o único Senhor. Ame o Senhor, o seu Deus, de todo o seu coração, de toda a sua alma e de todas as suas forças" (Deuteronômio 6:4,5). Que belo lembrete! Por que não fazer o mesmo?

Meus filhos são conhecidos por gravarem diante do espelho o trecho das Escrituras no qual estão meditando. Meu marido ouve a Bíblia em CD, no carro, e ouve sermões na academia. Existem *podcasts*, música de adoração e sermões *on-line*. É realmente muito fácil incorporar a Palavra de Deus à vida diária.

Meus netos memorizam versículos para registrá-los no coração. Algumas pessoas fazem tatuagens. Se você faz memorização das Escrituras em família, afixe as passagens em vários lugares e discuta como elas podem ser aplicadas na prática. Ou, para reflexão particular, considere registrar em um diário como aquele versículo pode fazer a diferença em sua vida cotidiana, em seus relacionamentos e em seu crescimento no Senhor.

Ações práticas como essas nos lembram que a Palavra de Deus está presente e é aplicável em todos os lugares, em todas as situações e em todas as encruzilhadas de nossa vida. Escreva, afixe, memorize e repita — até que as palavras de Deus passem de sua cabeça para seu coração.

Senhor, mostra-me maneiras criativas de tornar tua Palavra parte integrante de minha vida cotidiana e prática.

Eu sou forte

QUANDO MANTENHO AS PALAVRAS DE DEUS SEMPRE DIANTE DOS MEUS OLHOS E NA MINHA MENTE.

9

PERSEVERANÇA

Meus irmãos, considerem motivo de grande alegria o fato de passarem por diversas provações, pois vocês sabem que a prova da sua fé produz perseverança.
TIAGO 1:2,3

Sério? Tempos difíceis são supostamente grande alegria? Uma vez mais, você vê que nossa reação de força é contraintuitiva à resposta de nossa cultura. Afinal, quem teria por padrão a resposta de "alegria", mais ainda de "muita alegria", diante de vários tipos de provações? No entanto, é exatamente isso que Tiago, irmão de Jesus, nos encoraja a fazer. Veja, é nos tempos difíceis, e não nos momentos de tranquilidade, que aprendemos a perseverança. Alguns dos sinônimos para essa palavra são: propósito, motivação, dedicação, resolução, garra e determinação. Vamos precisar de tudo isso se quisermos permanecer firmes em um mundo que busca comprometer nossa força. Outra definição se refere a essa qualidade de perseverança como "graça divina".

"E a perseverança deve ter ação completa, a fim de que vocês sejam maduros e íntegros, sem lhes faltar coisa alguma" (Tiago 1:4). À luz dessa promessa de integridade e maturidade, dá para entender por que Tiago achava que muita alegria era uma resposta apropriada. É nos tempos difíceis de provações que descobrimos onde depositamos nossa confiança ou de onde extraímos nossa força. É nas estações secas da vida que descobrimos a profundidade de nosso poço. Estações de abundância raramente revelam do que somos feitas. De diversas maneiras, provações e dificuldades são nossos treinadores de força espiritual.

Vejamos as palavras de Paulo para descobrir exemplos de provações no tempo dos primeiros apóstolos:

> Três vezes fui golpeado com varas, uma vez apedrejado, três vezes sofri naufrágio, passei uma noite e um dia exposto à fúria do mar. Estive continuamente viajando de uma parte a outra, enfrentei perigos nos rios, perigos de assaltantes, perigos dos meus compatriotas, perigos dos gentios; perigos na cidade, perigos no deserto, perigos no mar, e perigos dos falsos irmãos. (2Coríntios 11:25,26)

E esse repertório foi de apenas dois dos versículos que Paulo usou para descrever os desafios que enfrentara. Quando leio essa lista, sinto-me um pouquinho fraca em comparação. Hoje, nossa lista de desafios pode trazer: ninguém me segue nas mídias sociais, não sou convidada para uma reunião de amigos, não sou valorizada pelo que faço, estou descontente com a aparência ou o peso. Talvez, à luz do que a Igreja Primitiva enfrentava, esteja na hora de todos aumentarmos nosso nível de força.

Pai Celeste, eu escolho chamar provações de muita alegria, não porque as aprecie, mas porque sou grata pela perseverança que tu trabalharás em mim por meio delas.

Eu sou forte
QUANDO SEI O QUE AS PROVAÇÕES ESTÃO OPERANDO EM MIM.

Este livro foi impresso pela Braspor, em 2024,
para a Thomas Nelson Brasil. O papel do miolo
é offset 90 g/m², e o da capa, couchê 150 g/m².